KB082352

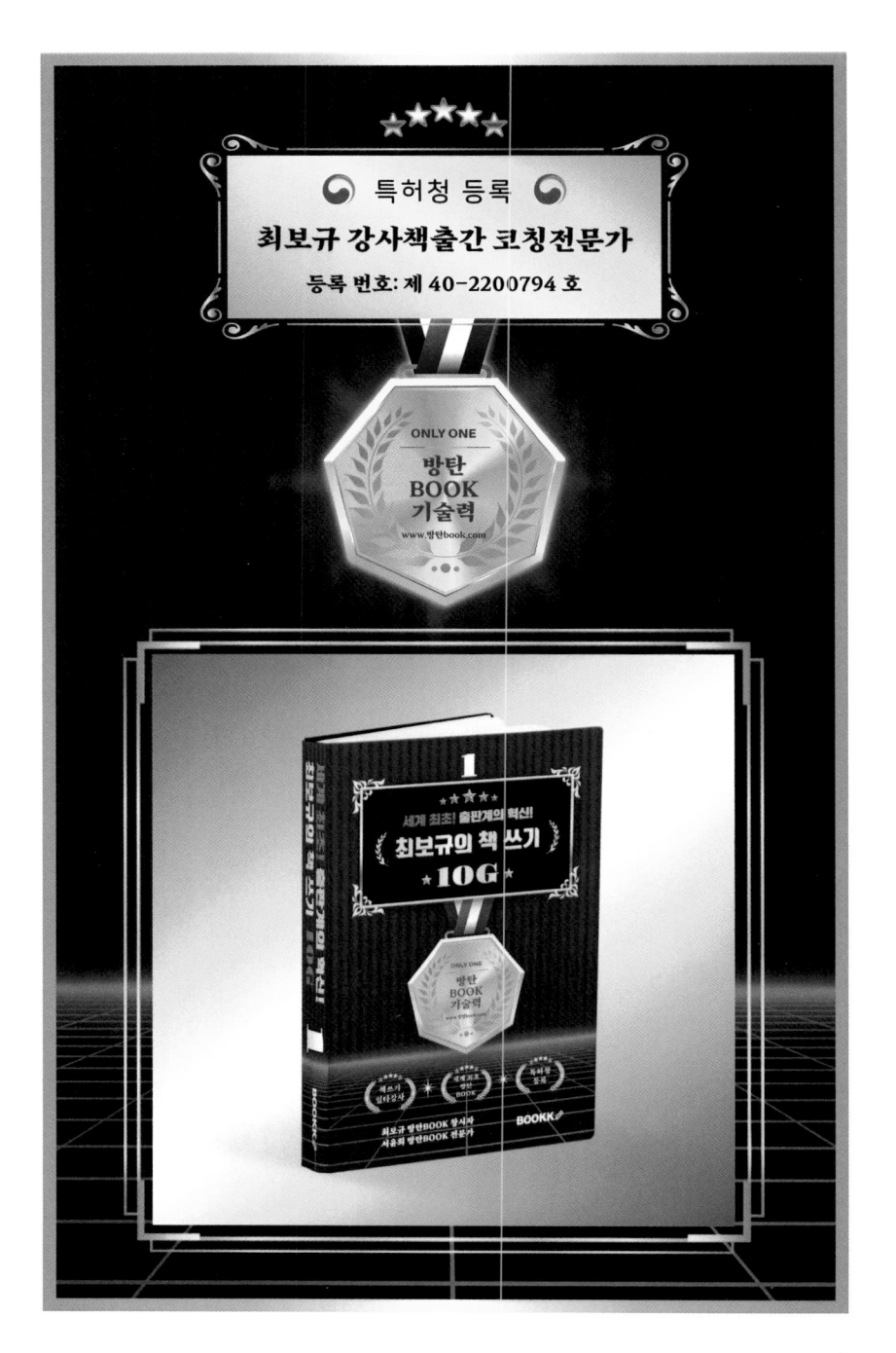

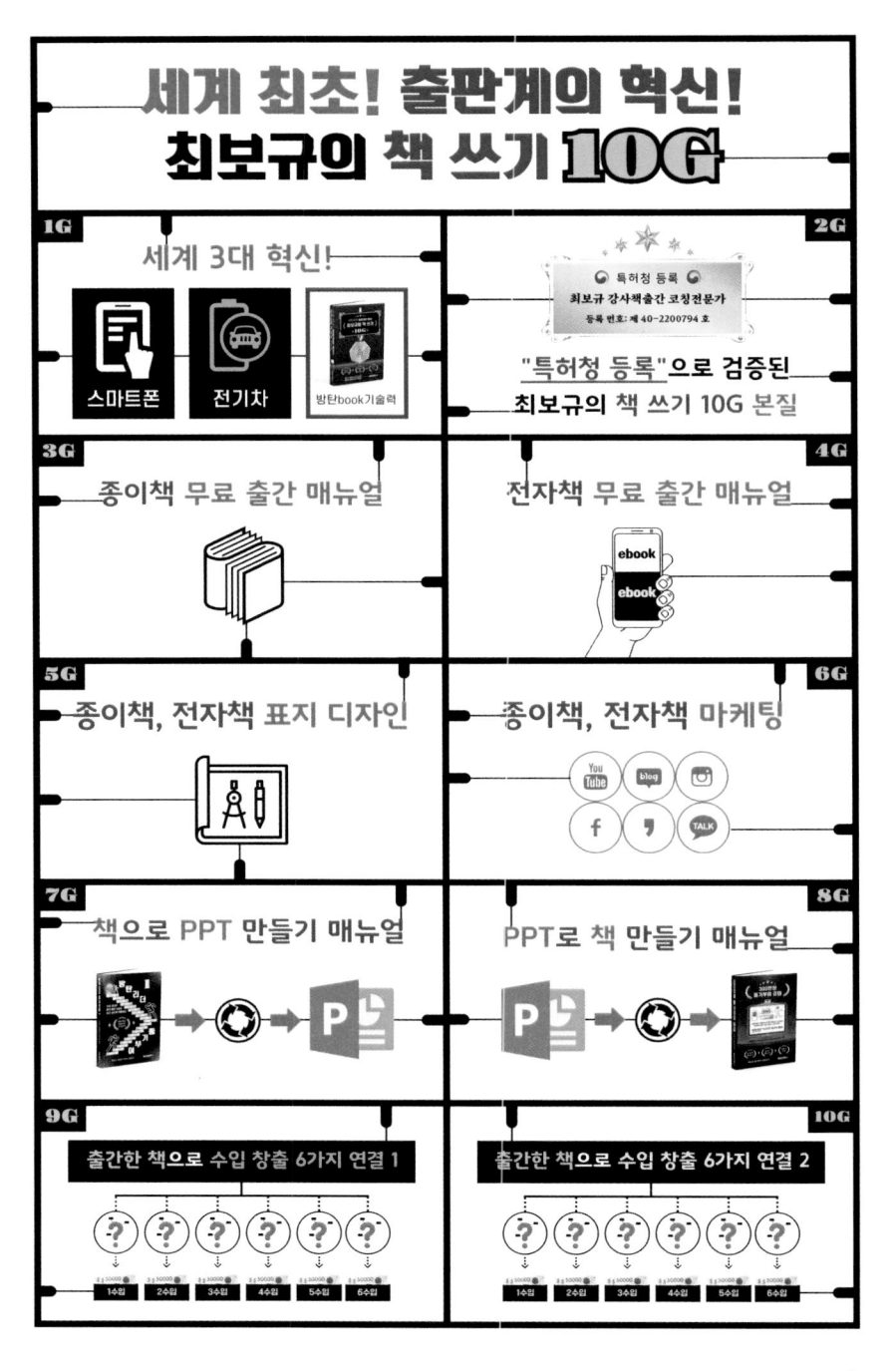

핵심 내용 설명

★★★★

특허청 등록

최보규 강사책출간 코칭전문가

등록 번호: 제 40-2200794 호

★★★★

세계 최초! 출판계의 혁신!

최보규의 책 쓰기 10G

★

책쓰기 일타강사 · 세계 최초 방탄 BOOK · 특허청 등록

최보규의 책 쓰기 10G 핵심 내용 설명

세계 3대 혁신!

스마트폰

전기차

방탄book기술력

세계에는 3대 혁신이 있다. 1대는 스마트폰, 2대는 전기차, 3대는 출판계의 혁신인 방탄book기술력이다. 기존 출판사 99%는 책만 출간 한다.
방탄book출판사는 6가지 수입 창출을 할 수 있는 책을 출간 한다.

최보규의 책 쓰기 10G
핵심 내용 설명

특허청 등록
최보규 강사책출간 코칭전문가
등록 번호: 제 40-2200794 호

**"특허청 등록"으로 검증된
최보규의 책 쓰기 10G 본질**

20,000명 심리 상담, 코칭, 종이책 150권, 전자책 250권 총 400권 출간으로 알게 된 책 쓰기, 책 출간의 본질! 사람들이 시간, 돈 낭비를 하는 이유는 본질을 모르고 책 쓰기를 하기 때문이다. 본질을 모르면 노오력만 하다 지쳐 떨어져 나가지만 본질을 알면 올바른 노력을 하게 되어 시간, 돈 낭비를 줄이고 결과를 만들어 낸다.

최보규의 책 쓰기 10G 핵심 내용 설명

종이책 무료 출간 매뉴얼

대한민국 평균 1권 자비출판 비용이 평균 300만 원 발생한다. 150권 출간했다면 300*150= 4억 5천만 원이 발생했을까? 아니다! 방탄book기술력이 있다면 0원이면 가능하다. 방탄book기술력이면 10권, 100권, 1.000권 출간도 0원으로 할 수 있다. 원고 작업부터 책 출간까지 5단계로 쉽게 종이책을 출간할 수 있는 방탄book기술력을 세계 최초로 공개한다.

최보규의 책 쓰기 10G 핵심 내용 설명

4G

전자책 무료 출간 매뉴얼

<u>움직이지 않아도 수입을 발생시킬 수 있는 것이 전자책이다.</u> 자는 동안에도 수입이 발생한다. 여행 중에도 수입이 발생한다. 커피숍에서 지인들과 수다를 떨고 있을 때도 수입이 발생한다. 장거리 운전 중에도 수입이 발생한다. 월세, 연금성 수입을 발생시키는 전자책은 선택이 아닌 필수다. 이제 당신도 <u>전자책을 무료로 5분 안에</u> 만들 수 있다.

최보규의 책 쓰기 10G 핵심 내용 설명

종이책, 전자책 표지 디자인

지금 시대(숏츠,유튜브, SNS...) 집중도가 전문가들에 의하면 금붕어보다 못하다고 한다.(금붕어 9초, 사람 8초) 한마디로 8초 안에 선택받지 못하면 끝난다는 것이다. 사람의 심리에서 시각적인 효과가 95%를 차지한다. 하루가 멀다 하고 수 천개의 이미지, 영상, 화려한 것에 노출 되어 이미지가 화려하지 않으면 쳐다 보지도 않는다. 책 내용도 중요하지만 책 표지도 내용 만큼 중요하다. 안 팔리는 책 표지 디지인이 있고 팔리는 책 표지 디자인이 있다.

최보규의 책 쓰기 10G
핵심 내용 설명

종이책, 전자책 표지 디자인

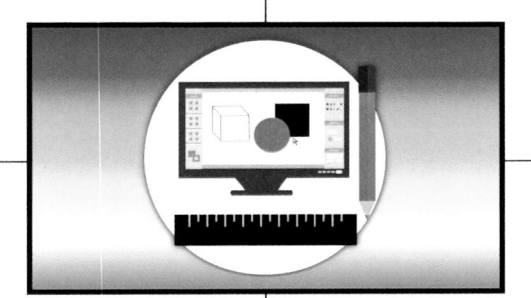

마우(마우스만 움직일 줄 아는 우주 초보)인 사람이 책과 연관된(종이책 표지, 종이책 3D 표지, 종이책날개 표지, 전자책 표지, 책에 들어갈 이미지 디자인, 책 출간 후 유튜브 홍보 영상 디자인, SNS 프로필 디자인... 등) 디자인을 할 수 있는 기술력을 배울 수 있다라면? 당신은 배울 것인가? 다음 생에 배울 것인가?

최보규의 책 쓰기 10G
핵심 내용 설명

6G

종이책, 전자책 마케팅

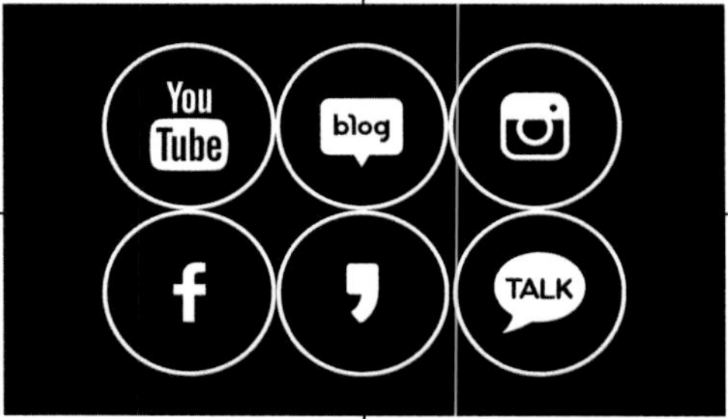

시행착오, 대가 지불, 인고의 시간을 거쳐 출간한 소중한 책이 홍보를 하지 않아 냄비 받침대가 되어가는 것을 보고만 있는 저자들이 90%다. 누군가는 sns라는 도구를 시간 때우는 도구로 사용하고 누군가는 자신 분야 마케팅 도구로 사용을 한다. 자신 sns을 활용해서 책 마케팅을 숨을 거두는 날까지 끊임없이 해야 한다. 알리지 않으면 죽은 거와 같다.

최보규의 책 쓰기 10G
핵심 내용 설명

책으로 PPT 만들기 매뉴얼

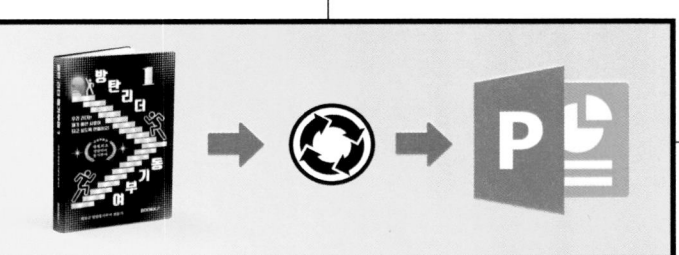

책을 출간하면 저자 특강을 하거나 출간 한 책으로 강의, 교육, 코칭을 해서 수입 창출을 한다. 출간한 책으로 PPT 교육, 강의, 코칭 자료를 만들어서 해야지만 수입이 올라가고 전문성을 인정받는 것은 아니다. 하지만 몸값을 올리는 사람, 삼성(진정성, 전문성, 신뢰성)을 인정받는 사람들은 출간 한 책으로 PPT 교육, 강의, 코칭 자료를 만든다는 것을 명심해야 한다.

최보규의 책 쓰기 10G 핵심 내용 설명

PPT로 책 만들기 매뉴얼

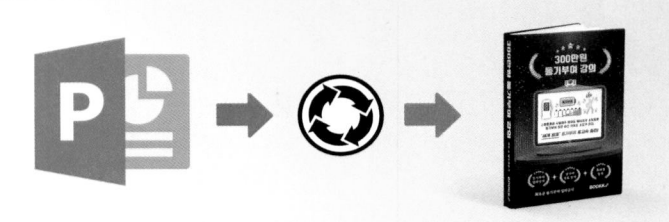

누군가는 PPT를 일할 때 외에는 활용하지 않는다. 하지만 누군가는 PPT를 활용하여 책을 출간해서 제2수입, 제3수입을 올린다. 왜 가지고 있는 경력, 가지고 있는 PPT를 썩히고 있는가? 누구도 말하지 못한 PPT로 책출간! 어디에서도 보지 못한 PPT로 책출간! 어떤 책에서도 보지 못한 PPT로 책출간! 어떤 영상에서도 보지 못한 PPT로 책출간! 어떤 사람에게도 들을 수 없는 PPT로 책출간!

최보규의 책 쓰기 10G 핵심 내용 설명

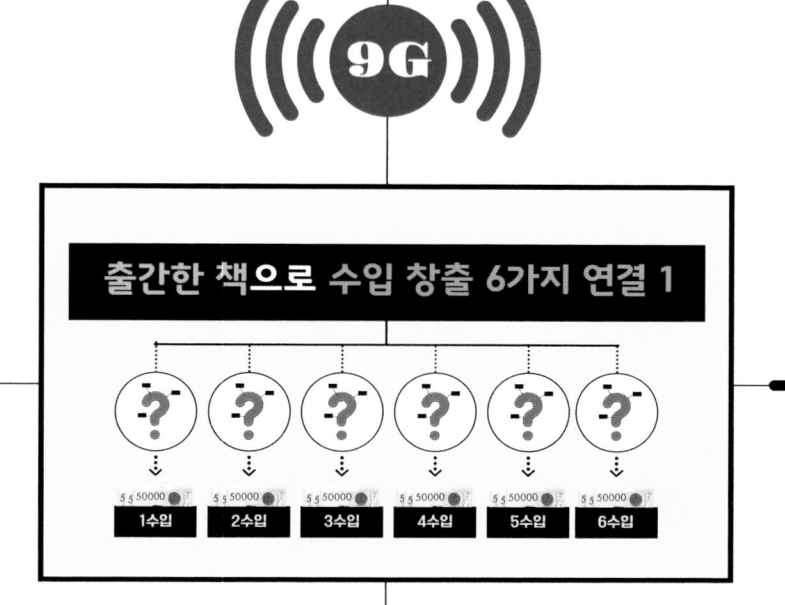

출간한 책으로 수입 창출 6가지 연결 1

| 1수입 | 2수입 | 3수입 | 4수입 | 5수입 | 6수입 |

출판계 현실! 출간 한 책 90% 책들이 3개월 뒤에는 냄비 받침대가 되어 버린다. 한마디로 책 활용하는 방법을 배우지 않는다. 누군가는 책만 출간하고 누군가는 출간한 책과 방탄book기술력을 연결시켜 6가지 수입을 창출한다. 당신은 책 1권 출간하는 방법만 배울 것인가 책 1권 출간하여 6가지 수입 창출을 할 수 있는 방탄book기술력을 배울 것인가?

최보규의 책 쓰기 10G 핵심 내용 설명

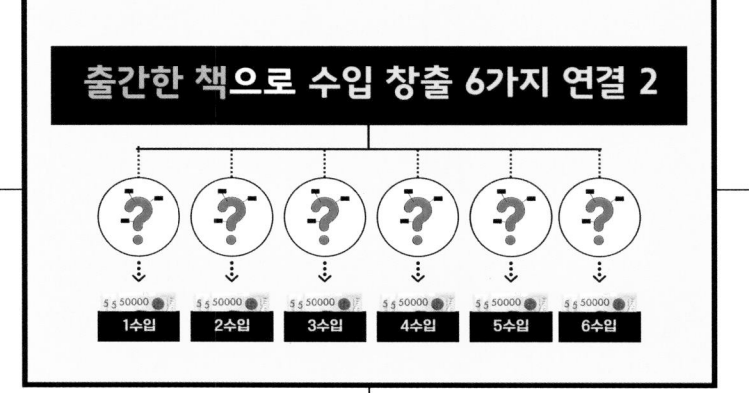

출간한 책으로 수입 창출 6가지 연결 2

| 1수입 | 2수입 | 3수입 | 4수입 | 5수입 | 6수입 |

대한민국에 90% 출판사들이 책만 출간한다. 대한민국에 1%인 방탄book출판사는 자신 분야를 6가지 수입을 발생시킬 수 있는 책 출간을 한다. 당신의 선택은? 책만 출간하는 책 쓰기 교육, 코칭? 책도 출간하고 출간한 책을 활용해서 6가지 수입을 발생시키는 책 쓰기 교육, 코칭? 3고 시대, 은퇴 나이 49세 시대를 극복하기 위한 방탄book기술력 시작하자!

**20,000명 심리 상담, 코칭으로 알게 된
20,000명이 바라는 책 쓰기, 책 출간 교육, 코칭**

 # 10가지

1 한번 출간한 책으로 평생 활용하는 방법을 알려주는 교육, 코칭

2 로또 2등과 같은 기획출판을 하기 위해서 출판기획서 제작 스트레스, 거절 메일을 확인 하는 스트레스, 370가지 스트레스... 등 마음고생 덜 하고 책 출간할 수 있는 책 쓰기 교육, 코칭

3 책 활용 수입 창출 시스템 교육을 검증 된 전문가에게 한 곳에서 시간, 돈 낭비를 줄여주는 책 쓰기 교육, 코칭

4 한번 코칭으로 100년 a/s, 피드백, 관리해주는 책 쓰기 교육, 코칭

5 책 출간 후 자신 분야 삼성(진정성, 전문성, 신뢰성)을 높여 자신 분야 내공, 가치, 몸값까지 올릴 수 있는 책 쓰기 교육, 코칭

6 출간한 책으로 <u>강사가 되어 은퇴 후 제2의 직업</u>을 할 수 있는 책 쓰기 교육, 코칭

7 책 출간 후 자신 분야 코칭 전문가가 되어 은퇴 후 <u>제3의 직업</u>까지도 할 수 있는 책 쓰기 교육, 코칭

8 책 출간 후 온라인 콘텐츠까지 제작을 해서 <u>비수기 없는</u> 책 쓰기 교육, 코칭

9 책 출간 후 디지털 콘텐츠까지 제작을 해서 <u>월세, 연금성 수입까지 발생</u>시킬 수 있는 책 쓰기 교육, 코칭

10 책 한 권 출간하고 끝나는 것이 아니라 <u>100년 동안 책을 무한대로 출간</u> 할 수 있는 책 쓰기, 책 출간 기술력을 교육, 코칭

책 쓰기, 책 출간 교육, 코칭은 누구나 한다.
<u>**6가지 수입 창출 책 쓰기, 책 출간**</u>
<u>**교육, 코칭은 방탄BOOK 장시자 뿐이다.**</u>

www.방탄book.com

NAVER 방탄book기술력

세계에서 20,000명이 바라는
책 쓰기, 책 출간 교육, 코칭 10가지를
할 수 있는 곳은

방탄book출판사 뿐이다!

최보규 방탄book기술력 코칭전문가

★★★★★

강사 15년 / 강의 6,000회를 통해 알게 된
교육 담당자, 학습자가 바라는 강사

 Google 자기계발아마존 ▶ YouTube 방탄자기계발 **NAVER** 방탄자기계발사관학교 **NAVER** 최보규

1. 가성비 강사 (1+4)

**강의 시간 속에 즐거움, 메시지, 스토리텔링,
감동, 실천 동기부여를 해주는 강사**

경기가 어려우면 교육을 의뢰하는 업체들은 <u>이
벤트, 교육 예산을 가장 먼저 비용 절감</u>한다. 그
래서 교육담당자들은 <u>1명의 강사비로 5가지의
교육효과</u>를 보고 싶어 한다. 한 번 교육 속에 즐
거움, 메시지, 스토리텔링, 감동, 실천 동기부여
를 해주는 가성비 강사를 선호한다. <u>가성비 강
사는 시대 흐름이 되었다.</u> 학습자들은 강의, 교
육을 수 십 번 듣다 보니 <u>일방적인 이론 교육만
하는 강의, 교육을 싫어</u>한다. 가성비 강의를 하
지 못하는 강사는 살아남지 못한다.

 Google 자기계발아마존　▶YouTube 방탄자기계발　NAVER 방탄자기계발사관학교　NAVER　최보규

2. 스펙, 강사료 값어치를 하는 강사

지금까지 들었던 강사와 다른 내공, 가치, 값어치가 다르게 느껴지는 강사

프로필에 있는 스펙은 1시간에 100만 원 강사비를 받는 자격은 되는데 강의 내용이 10만 원 강사보다 못한 강의를 하는 강사들이 많다. 한 마디로 스펙, 강사료 값어치를 못 하는 강사가 많다는 것이다. 학습자가 강의를 들었을 때 "이런 강의는 나도 하겠다. 뻔한 강의, 차별화가 없는 강의, 신선함이 없는 강의, 강의 듣는 시간에 잠이나 자는 게 낫겠다. 이런 내용으로 하는 강의라면 강사 개나 소나 다하겠다."라는 마음을 들게 하면 최악의 강사다.

Google 자기계발아마존 | ▶YouTube 방탄자기계발 | NAVER 방탄자기계발사관학교 | NAVER 최보규

2. 스펙, 강사료 값어치를하는 강사

**지금까지 들었던 강사와 다른 내공, 가치, 값
어치가 다르게 느껴지는 강사**

학습자가 강의를 들었을 때 "전에 비슷한 강의
수십 번 들었지만 이강사는 다르다. 프로필에 나
온 스펙, 타이틀 값어치를 하는 강사다. 다시 듣
고 싶게 하는 강의 내용이다. 강의 내용이 너무
좋아서 강사료를 더 챙겨 주고 싶게 만든다.
학습자를 사랑하는 마음이 느껴지는 강의다. 이
런 강의는 10시간도 듣고 싶다."라는 마음을 들
게 하는 강사가 가성비 강사이고 스펙, 강사료
값어치를 하는 강사이다. 강사가 스펙 값, 타이
틀값, 경력 값을 하는 건 당연한 것이다.

25

Google 자기계발아마존 ｜ ▶YouTube 방탄자기계발 ｜ NAVER 방탄자기계발사관학교 ｜ NAVER 　 최보규

3. 실천할 수 있는 강의 사용 설명서를 주는 강사

강의 때 배운 것들 강의 끝난 후 활용할 수 있는 사용 설명서(도구)를 주는 강사

20,000명 심리 상담, 코칭 하면서 알게 된 것은 사람의 심리는 <u>1시간 교육, 강의를 듣더라도 90%는 잊어버리고 10%만 기억</u>을 한다. 10%를 기억하는 사람들 중에 <u>실천하는 사람은 0.1%도 되지 않는다.</u> 아무리 강의, 교육이 좋아도 기억이 나지 않는데 어떻게 생활 속에서 실천을 하겠는가? 돌아서면 다 잊어버리기 때문에 교육, 강의가 끝난 후에도 실천할 수 있는 매개체를 주어야 한다. 눈에 보여야 실천 확률이 높기에 <u>시각적인 실천 동기부여 도구를 주어야 한다.</u> <u>학습자들이 가장 바라는 것은 교육, 강의가 끝난 후에도 생활 속에서 실천 할 수 있게 해주는 것이다.</u>

강사 15년 / 강의 6,000회를 통해 알게 된 교육 담당자, 학습자가 바라는 강사

 Google 자기계발아마존  YouTube 방탄자기계발 NAVER 방탄자기계발사관학교 NAVER 최보규

1. 가성비 강사 (1+4)
강의 시간 속에 즐거움, 메시지, 스토리텔링,
감동, 실천 동기부여를 해주는 강사

2. 스펙, 강사료 값어치를하는 강사
지금까지 들었던 강사와 다른 내공, 가치, 값어
치가 다르게 느껴지는 강사

3. 실천할 수 있는
강의 사용 설명서를 주는 강사
강의 때 배운 것들 강의 끝난 후 활용할 수 있는
사용 설명서(도구)를 주는 강사

최보규 강사의 차별화 강의가 아닌 초월 강사

1. 가성비 강사가 되기 위해 강사 15년간 2,000권 독서 / 7,000개 메모 / 자기계발서 150권 출간을 통한 메시지, 스토리텔링 강의.

2. 학습자가 봤을 때 "이런 강의는 나도 하겠다."라는 말을 듣지 않고 쓰리 값(나이값, 스펙값, 강사료값)어치를 하기 위해서 **강사 11계 명 실천**으로 80억 분의 1 검증된 전문가 다운 강의를 하는 강사.

3. 교육, 강의가 끝난 후에 생활 속에서 실천 동기부여를 할 수 있는 **도구, 사용 설명서**(강사 사비 제작)를 통해 변화, 성장할 수 있게 해주는 강사.

대한민국 99%가 책 쓰기, 출간하는 방법만
교육, 코칭 한다!
6가지 수입 창출 책 쓰기, 출간 기술력을
교육, 코칭 하는 곳은 **방탄book출판사뿐이다.**

방법을 알면 1권 출간하고 끝이지만
방탄book기술력을 알면
10권, 100권, 1.000권... 도 가능하다.

1. 가성비 코칭

변화, 성장, 자신 분야 연결을 통해 제2수입, 제3수입 까지 발생시킬 수 있는 코칭

대부분 사람들이 자신 분야 스펙, 경력과 무관한 새로운 분야 코칭을 받고 새로운 분야를 만들려고 한다. 그러다 보니 힘들고 어려운 것이다. 자신 분야 스펙, 경력과 연결시킬 수 있는 분야 코칭을 받는다면 좀 더 수월할 것이다. 지금 시대는 한 분야 전문성으로는 힘든 시대이기에 자신 분야 스펙, 경력을 살려서 수입을 창출할 수 있는 방법이 아닌 기술력을 배울 수 있는 가성비 코칭을 원한다. 방법을 배우면 3개월 밖에 안가지만 기술력을 배우면 100년 간다.

2. 시간, 돈 낭비를 하지 않는 코칭
검증이 되지 않는 코칭에 속아 시간과 돈 낭비를 줄여서 빠른 수입 창출 코칭

방탄book기술력 코칭을 하다 보면 대부분 사람들이 처음 코칭 받는 사람은 드물고 여러 번 코칭을 받으면서 시간, 돈 낭비를 하고 난 뒤에 방탄book기술력 코칭을 받는다. 여러 코칭을 받으면서 수백만 원 ~ 수 천만 원을 투자했는데도 제대로 수입을 창출하지 못했다고 하소연하는 사람들이 많다. 속된 말로 혹하는 말에 속아 시간, 돈 낭비를 했다는 것이다. 지금 시대 검증 안된 전문가(사기꾼)들이 너무 많다. 시간, 돈 낭비를 줄이기 위해서는 표면적으로 검증할 수 있는 검증된 전문가인지, 시스템이 있는지 확인을 해야 한다. 예시) 박사, 10권 이상 전문 서적, 특허청 등록...등

 Google 자기계발아마존    ▶YouTube 방탄자기계발   NAVER 방탄자기계발사관학교   NAVER 최보규

3. 코칭, PT 받은 후
A/S, 피드백, 관리를 해주는 코칭
혼자 스스로 할 수 있을 때까지, 자리 잡을 때까지
멘토가 되어 주는 코칭

코칭 받기 전에는 속된 말로 간, 쓸개 다 빼준다는 말로 혹하게 하여 교육, 코칭을 듣게 한다. 교육, 코칭 끝나면 혼자서 알아서 하라는 식으로 나 몰라 한다. 이런 교육, 코칭이 90%이다. 당연히 교육, 코칭의 기본 전제는 자신이 배운 것을 토대로 스스로 끊임없이 학습, 연습, 훈련을 해야 하지만 스스로 혼자 할 수 있을 때까지는 어느 정도 전문가의 케어가 필요한데 안타깝게도 현실은 그렇지 않다. 교육, 코칭 받을 때는 언제든지 전화하면 피드백 해준다는 말을 하면서 정작 전화하면 안 받거나 피한다. 방탄book기술력 교육, 코칭 받는 사람들 100%가 놀라는 것이 150년 a/s, 피드백, 관리에 놀란다. 자립할 때까지 케어해주고 인연이 되어 준다.

 Google 자기계발아마존  YouTube 방탄자기계발  NAVER 방탄자기계발사관학교　NAVER　최보규

1. 가성비 코칭

변화, 성장, 자신 분야 연결을 통해 제2수입,
제3수입 까지 발생시킬 수 있는 코칭

2. 시간, 돈 낭비를 하지 않는 코칭

검증이 되지 않는 코칭에 속아 시간과 돈 낭비
를 줄여서 빠른 수입 창출 코칭

3. 코칭, PT 받은 후
A/S, 피드백, 관리를 해주는 코칭

혼자 스스로 할 수 있을 때까지, 자리 잡을 때까
지 멘토가 되어 주는 코칭

최보규 전문가의 차별화 코칭(PT)이 아닌 초월 코칭(PT)

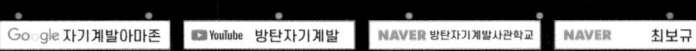

1. 가성비 코칭을 해주기 위해서 자신 분야와 6가지 수입 창출하는 방법을 연결시킬 수 있는 기술력을 체계적으로 교육하는 코칭.

2. 특허청 등록: 제 40-2072344 호 [최보규 자기계발코칭 창시자] 매뉴얼, 시스템이 검증된 전문가로서 시간과 돈 낭비를 줄여주는 코칭.

3. 청출어람 사명감으로 150년 A/S, 피드백, 관리를 해준다는 우주 최강 책임감으로 멘토가 되어주는 코칭.

검증된 코칭전문가

특허청 등록
최보규 강사책출간 코칭전문가
등록 번호: 제 40-2200794 호

특허청 등록
최보규 자기계발코칭 창시자
등록 번호: 제 40-2072344 호

특허청 등록
최보규 리더동기부여 코칭전문가
등록 번호: 제 40-2128786 호

※ 상표 및 상호를 무단 도용할 경우
[특허법]에 의해 1억 원 이하의 벌금, 7년 이하의 형사처분을 받을 수 있습니다.

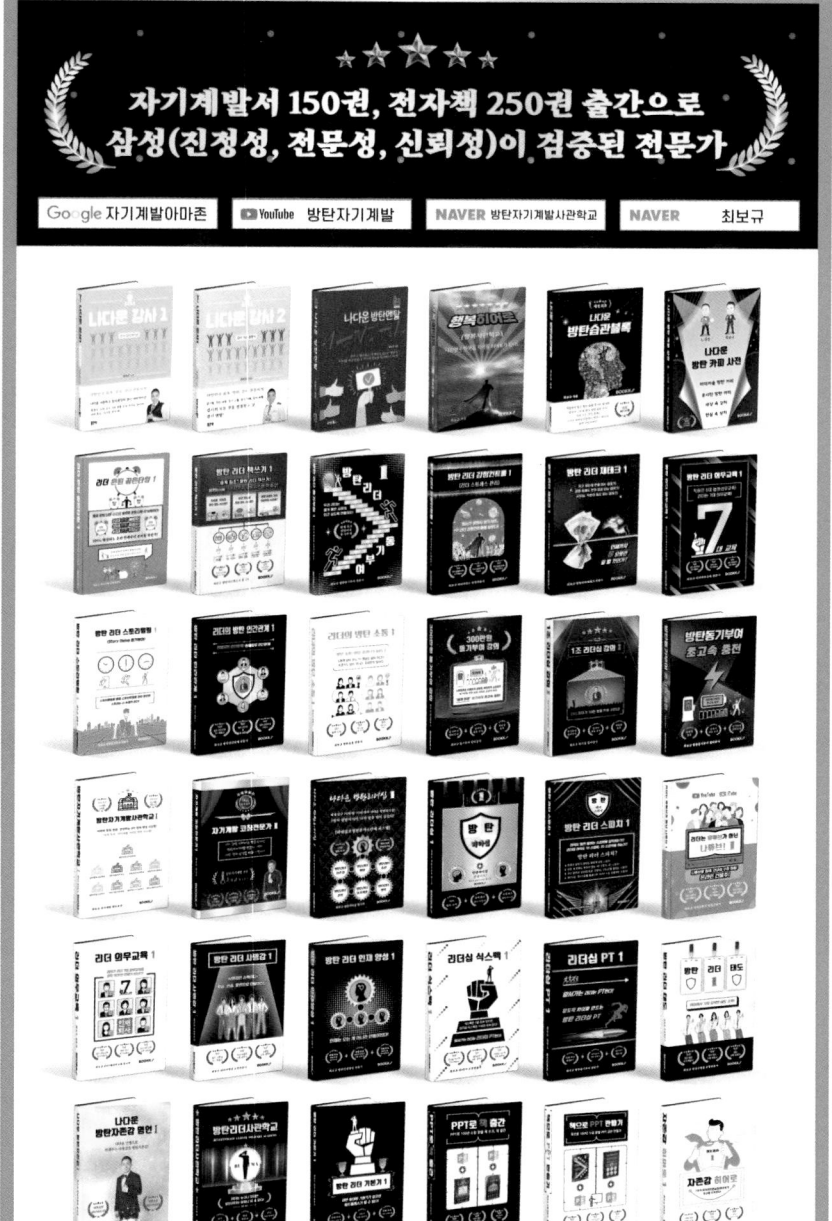

종이책 150권, 전자책 250권
총 400권 무인 콘텐츠

24시간 무인 시스템

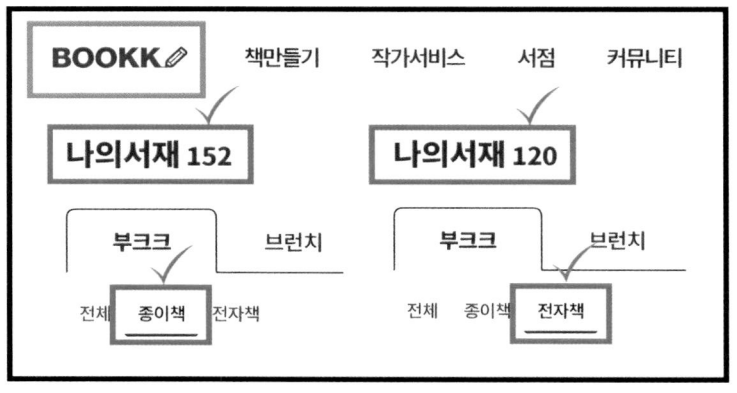

BOOKK 책만들기 작가서비스 서점 커뮤니티

나의서재 152 **나의서재 120**

부크크 브런치 부크크 브런치

전체 종이책 전자책 전체 종이책 전자책

유페이퍼 [최보규] 검색어 콘텐츠 159

이번 생에 건물주는 힘들어도
온라인 건물주는 가능하다!
400층 온라인 건물주를 가능하게 만든 시스템!

방탄book기술력

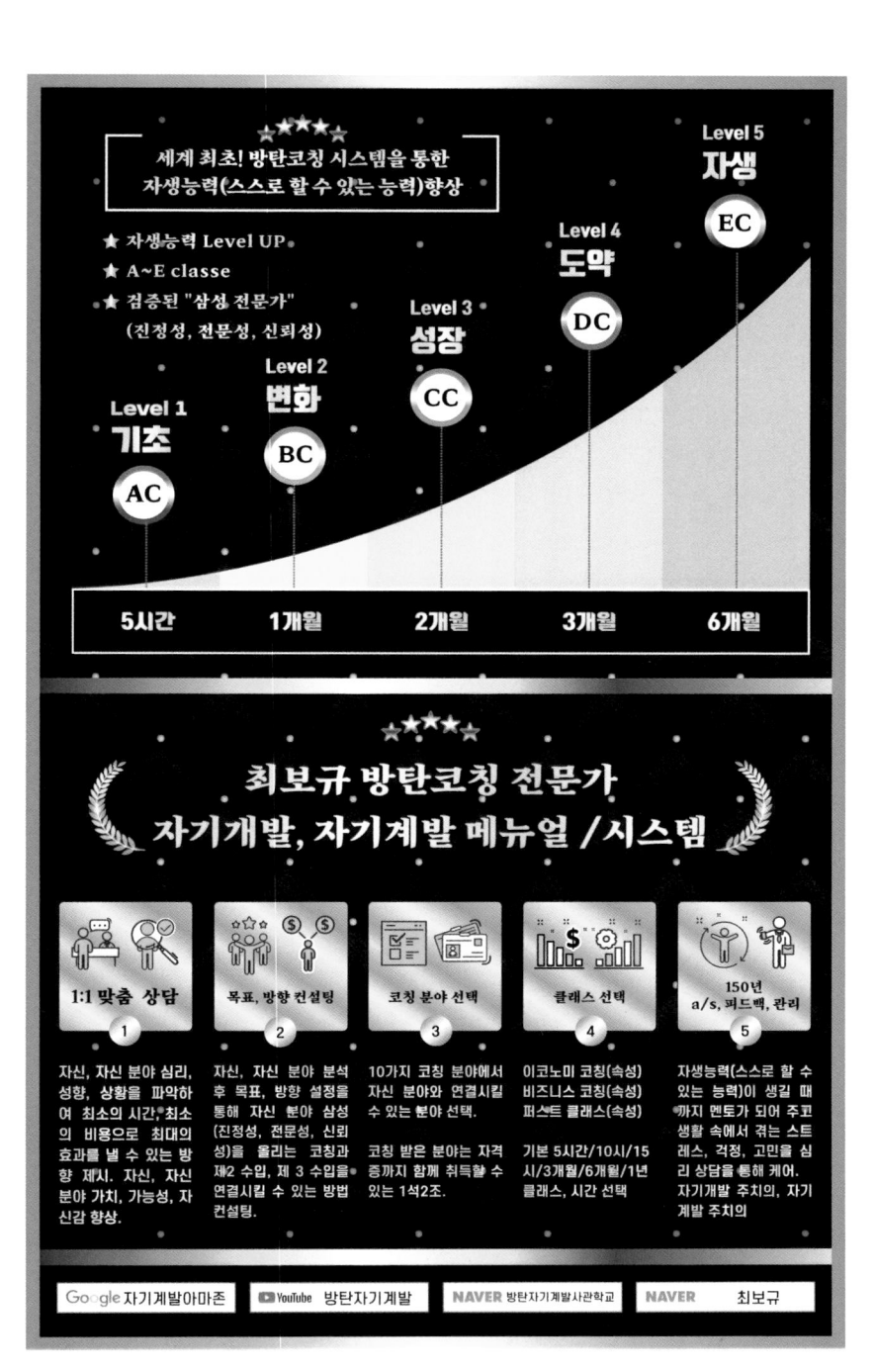

★★★★★ 검증된 전문가 교육시스템

회원제를 통한 맞춤 학습, 연습, 훈련
오프라인 전문상담사가 검진 후 특별맞춤 학습, 연습, 훈련

검증된 강사코칭 전문가

세계 최초 강사 백과사전
강차 사용설명서를 만든 전문가
150년 A/S, 관리, 해주는 책임감!

검증된 책 쓰기 전문가 100권

행복히어로
나다운 강사 1, 2
나다운 방탄멘탈
나다운 방탄습관블록
나다운 방탄 카피 사전
나다운 방탄자존감 명언 I , II
방탄자기계발 사관학교
자기계발코칭전문가 1,2,3,4,5,6
나다운 방탄리더십 1,2,3,4,5
외 100권

검증된 자기계발 전문가

방탄행복 창시자!
방탄멘탈 창시자!
방탄습관 창시자!
방탄자존감 창시자!
방탄자기계발 창시자!
방탄강사 창시자!
방탄리더십 창시자!

검증된 상담 전문가

20,000명 심리 상담, 코칭 !
독학하기 힘든 자자자자멘습금
(자존감, 자신감, 자기관리, 자기계
발, 멘탈, 습관, 긍정)
1:1 케어까지 해주며 행복 주치의가
되어주는 전문가!

★★★★★ 강력추천

이런 사람들 반드시 상담, 코칭 받으세요!

현재 상황에 가장 필요한 것을 상담 후 가장 효율적인 시스템을 적용합니다.

변화, 성장, 배움, 행동 동기부여, 셀프케어
1

자신분야 전문성
(진정성, 전문성, 신뢰성)
2

자신분야 자동 시스템(돈) 연결
3

지금처럼이 아니라 지금부터 다시 시작하고 때를 기다리는 사람이 아닌 때를 만들고 싶은 분

경력은 스펙이 아니다! 자신 분야 차별화로 부케릭 터틀(부업)만들어 자신 몸값을 올리고 싶은 분

움직이지 않아도 자동으로 돌아가는 돈 버는 시스템을 만들고 싶은 분

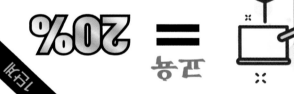
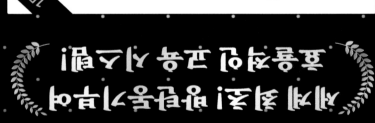

평균적으로 학습자들은 교육만 받으면 80% 효과를 보고 동기부여가 되어 행동으로 나올 것이라고 착각합니다.

그러다 보니 교육받는 동안 생각만큼, 돈을 지불한 만큼 자신 기준의 미치지 못하면 효과를 보지 못할 거라고 지레짐작으로 스스로가 한계를 만들어 버립니다. 그래서 행동으로 옮기지 못하는 것이 상황, 교육자가 아닌 자기 자신이라는 것을 모릅니다.

20,000명 심리 상담, 코칭, 리더 자기계발서 100권 출간, 리더 습관 320가지 만듦, 시행착오, 대가 지불, 인고의 시간을 통해 가장 효율적이며 효과적인 교육 시스템은 2:3:5라는 것을 알게 되었습니다.

교육 듣는 것은 20%밖에 되지 않습니다. 교육을 듣고 스스로가 생활 속에서 배웠던 것을 토대로 30% 학습, 연습, 훈련해야 합니다.
학습, 연습, 훈련한 것을 가장 중요한 50%인 검증된 전문가에게 꾸준히 a/s, 관리, 피드백을 받아야만 2:3:5공식 효과를 볼 수 있습니다.

Best 6

검증된 방탄 PT 분야

동기부여 방탄 PT

1

<저자 최보규>

자격증 발급기관

No. 2023-009046-1

동기부여코칭전문가

위 사람은 방탄자기계발사관학교에서 시행한
동기부여코칭전문가 2급, 1급 시험에
합격하였기에 영광과 축하를 부여합니다.

2023년 09월 25일

방탄자기계발사관학교

앞도적 차이를 만드는 방탄 PT!
앞서가는 사람은 방탄 PT 받는다!

- ☑ 7대 동기부여 PT
- ☑ 비전 동기부여 PT
- ☑ 열정 동기부여 PT
- ☑ 목표 동기부여 PT
- ☑ 자존감 동기부여 PT
- ☑ 자신감 동기부여 PT
- ☑ 변화 동기부여 PT
- ☑ 성장 동기부여 PT
- ☑ 멘탈 동기부여 PT
- ☑ 습관 동기부여 PT
- ☑ 긍정 동기부여 PT
- ☑ 인간관계 동기부여 PT
- ☑ 행복 동기부여 PT
- ☑ 스피치 동기부여 PT
- ☑ love 동기부여 PT
- ☑ Smile 동기부여 PT

Best 6

검증된 방탄 PT 분야

리더 인간관계 PT

2

자격증 발급기관

<저자 최보규>

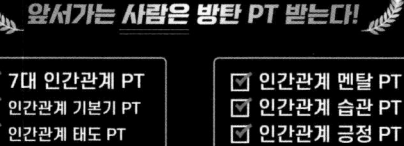

앞도적 차이를 만드는 방탄 PT!
앞서가는 사람은 방탄 PT 받는다!

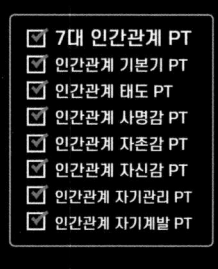

- ☑ 7대 인간관계 PT
- ☑ 인간관계 기본기 PT
- ☑ 인간관계 태도 PT
- ☑ 인간관계 사명감 PT
- ☑ 인간관계 자존감 PT
- ☑ 인간관계 자신감 PT
- ☑ 인간관계 자기관리 PT
- ☑ 인간관계 자기계발 PT

- ☑ 인간관계 멘탈 PT
- ☑ 인간관계 습관 PT
- ☑ 인간관계 긍정 PT
- ☑ 인간관계 감정컨트롤 PT
- ☑ 인간관계 행복 PT
- ☑ 인간관계 스피치 PT
- ☑ 인간관계 love PT
- ☑ 인간관계 Smile PT

Best 6

검증된 방탄 PT 분야

자기계발 방탄 PT  자격증 발급기관

4

<저자 최보규>

자기계발코칭전문가

방탄자기계발사관학교

압도적 차이를 만드는 방탄 PT!
앞서가는 리더는 방탄 PT 받는다!

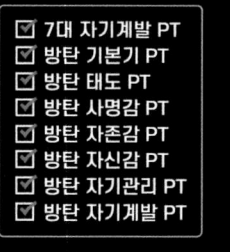

- ☑ 7대 자기계발 PT
- ☑ 방탄 기본기 PT
- ☑ 방탄 태도 PT
- ☑ 방탄 사명감 PT
- ☑ 방탄 자존감 PT
- ☑ 방탄 자신감 PT
- ☑ 방탄 자기관리 PT
- ☑ 방탄 자기계발 PT

- ☑ 방탄 멘탈 PT
- ☑ 방탄 습관 PT
- ☑ 방탄 긍정 PT
- ☑ 방탄 인간관계 PT
- ☑ 방탄 행복 PT
- ☑ 방탄 스피치 PT
- ☑ 방탄 love PT
- ☑ 방탄 Smile PT

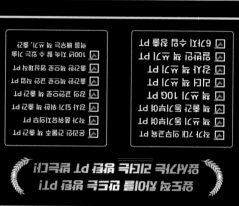

카페에서 냅킨에 그린 그림이 1억?

카페에 피카소가 앉아 있었습니다. 한 손님이 다가와 종이 냅킨 위에 그림을 그려 달라고 부탁했습니다. 피카소는 상냥하게 고개를 끄덕이곤 빠르게 스케치를 끝냈습니다. 냅킨을 건네며 1억 원을 요구했습니다.
손님이 깜짝 놀라며 말했습니다. 어떻게 그런 거액을 요구할 수 있나요? 그림을 그리는 데 1분밖에 걸리지 않았잖아요. 이에 피카소가 답했습니다.

아니요. 40년이 걸렸습니다. 냅킨의 그림에는 피카소가 40여 년 동안 쌓아온 노력, 고통, 열정, 명성이 담겨 있었습니다. 피카소는 자신이 평생을 바쳐서 해온 일의 가치를 스스로 낮게 평가하지 않았습니다.

《확신》

★★★★★ 차별이 아닌 초월 시스템 ★★★★★

타사와 비교불가 초월 혜택!
자신 분야 온라인 건물주가 되어 100년 수입 창출!

Google 자기계발아마존　　▶YouTube 방탄자기계발　　NAVER 방탄book기술력　　NAVER　최보규

이코노미 PT

기본 5H : 500,000원

CHECK POINT

☑ 기본 1회(1일=5H)
☑ 6가지 수입 창출 시스템 매뉴얼 설명
☑ 150년 A/S

★★★★★ **차별이 아닌 초월 혜택** ★★★★★

 Google 자기계발아마존    YouTube 방탄자기계발   NAVER 방탄book기술력   NAVER 최보규

이코노미 PT

기본 5H : 500,000원

- ☑ 150년 A/S (세계 최초)
- ☑ 마스터한 분야 자격증 1종 취득
- ☑ 방탄자기계발사관학교 강사 위촉
- ☑ 방탄자기계발사관학교 마스터 위촉
- ☑ 비지니스 PT 10% 할인
  (10만원 상당)
- ☑ 퍼스트클래스 PT 10% 할인
  (30만원 상당)
- ☑ 마스터한 분야 실전 2시간 강의
  교안 제공. (강사료 200만원 상당)

★★★★★ 차별이 아닌 초월 혜택 ★★★★★

 자기계발아마존   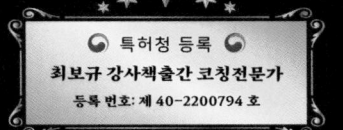 YouTube 방탄자기계발   NAVER 방탄book기술력   NAVER 최보규

비지니스 PT

기본 10H : 1,000,000원

- ☑ 150년 A/S, 피드백
- ☑ 마스터한 분야 자격증 1종 취득
- ☑ 방탄자기계발사관학교 전임 강사 위촉
- ☑ 방탄자기계발사관학교 전임 마스터 위촉
- ☑ 퍼스트클래스 PT 10% 할인
  (30만원 상당)
- ☑ 강사 맞춤 트레이닝 비대면 1회 제공
  (50만원 상당)
- ☑ 마스터한 분야 실전 2시간 강의 교안
  제공, 1:1 맞춤 교안 설명
  (강사료 200만원 / 1:1 맞춤 100만원 상당)

특허청 등록
최보규 강사책출간 코칭전문가
등록 번호: 제 40-2200794 호

명품
자기계발

명품
동기부여

★★★★★ **차별이 아닌 초월 혜택** ★★★★★

| Google 자기계발아마존 | ▶YouTube 방탄자기계발 | NAVER 방탄book기술력 | NAVER 최보규 |

퍼스트클래스 PT

기본 15H : 3,000,000원~

- ☑ 150년 A/S, 피드백, VIP맞춤 관리
- ☑ 자격증 3종 취득 (150만원 상당)
- ☑ 방탄자기계발사관학교 지회장 위촉
- ☑ 종이책, 전자책 출간 후 네이버 인물 등록
- ☑ 20H, 30H, 40H, 50H PT 20% 할인
- ☑ 강사 맞춤 트레이닝 대면 1회 제공
  (50만원 상당)
- ☑ 프로필 유튜브 홍보 영상 제작
  (100만원 상당)
- ☑ 마스터한 분야 풀 패키지 (교안 제공,
  1:1 맞춤 교안 설명, 청강 1회 제공)
  (강사료 200만원 / 1:1 맞춤 100만원 /
  청강 1회 200만원 상당)

특허청 등록
최보규 강사책출간 코칭전문가
등록 번호: 제 40-2200794 호

★★★★★ **차별이 아닌 초월 혜택** ★★★★★

Google 자기계발아마존   ▶YouTube 방탄자기계발   NAVER 방탄book기술력   NAVER 최보규

방탄book기술력 전문가 과정 속성 PT

기본 30H : 5,000,000원~

- ☑ 150년 A/S, 피드백, VIP맞춤 관리
- ☑ 자격증 5종 취득 (250만원 상당)
- ☑ 방탄자기계발사관학교 지회장 위촉
- ☑ 종이책, 전자책 출간 후 네이버 인물 등록
- ☑ 20H, 30H, 40H, 50H PT 20% 할인
- ☑ 강사 맞춤 트레이닝 대면 3회 제공 (150만 원 상당) / 프로필 유튜브 홍보 영상 제작 (100만원 상당)
- ☑ 방탄book기술력 코칭 전문가 MOU
- ☑ 마스터한 분야 풀 패키지 (교안 제공, 1:1 맞춤 교안 설명, 청강 1회 제공) (강사료 200만원 / 1:1 맞춤 100만원 / 청강 1회 200만원 상당)

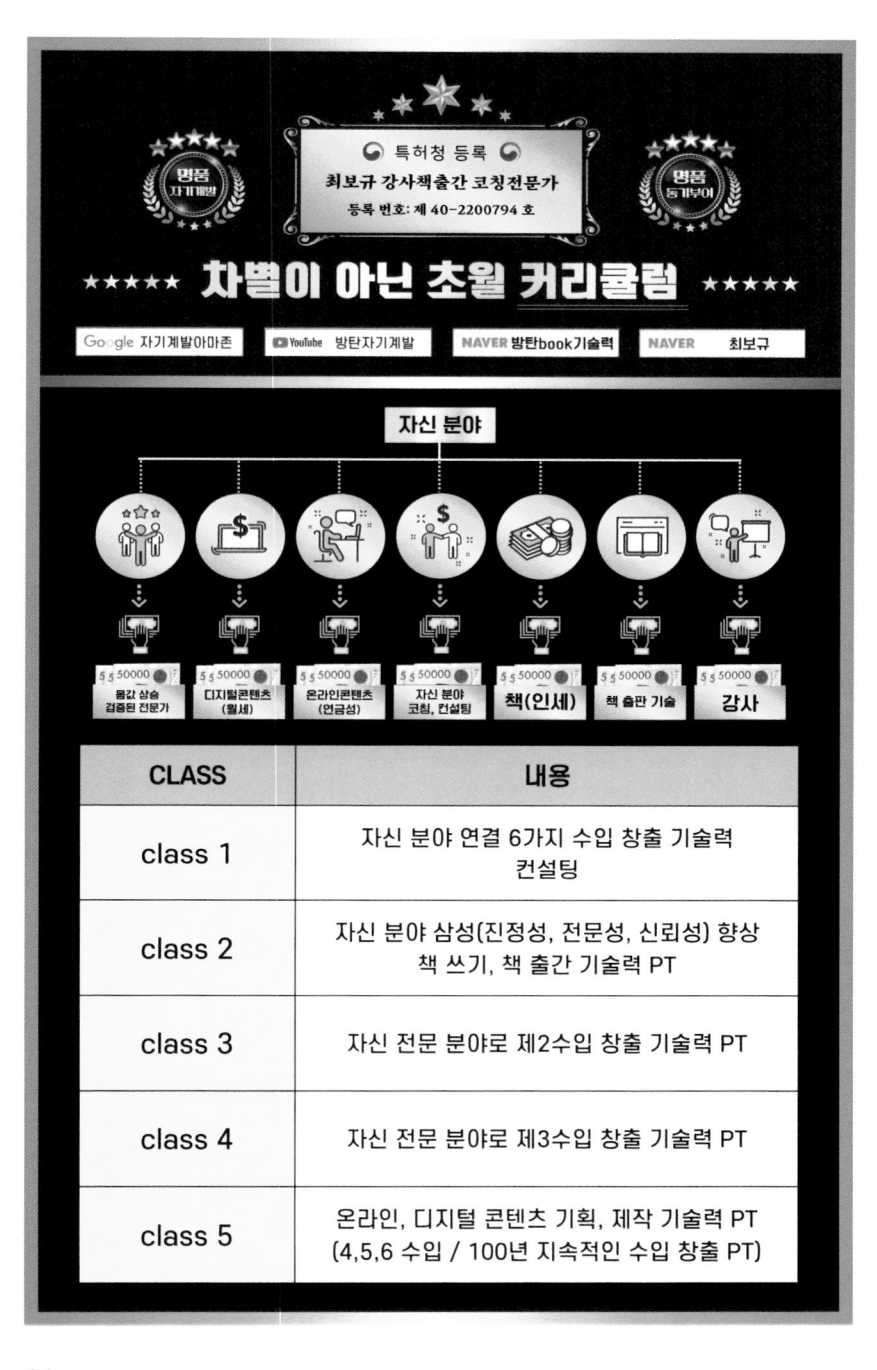

CLASS	내용
class 1	자신 분야 연결 6가지 수입 창출 기술력 컨설팅
class 2	자신 분야 삼성(진정성, 전문성, 신뢰성) 향상 책 쓰기, 책 출간 기술력 PT
class 3	자신 전문 분야로 제2수입 창출 기술력 PT
class 4	자신 전문 분야로 제3수입 창출 기술력 PT
class 5	온라인, 디지털 콘텐츠 기획, 제작 기술력 PT (4,5,6 수입 / 100년 지속적인 수입 창출 PT)

65

 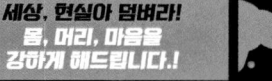
66

최보규 대표

상담, 코칭, 강의, 컨설팅 문의
010-6578-8295

현] 방탄자기계발사관학교 대표
현] 강사야 대표강사
현] 자기계발아마존 CEO
현] 방탄book 출판사 대표
현] 방탄강사사관학교 코칭전문가
현] 사랑의전화 카운슬러
현] 방탄자기계발 유튜버
현] 최보규상(대한민국 노벨상)창시자

교육 실적

기업

삼성전자, 현대자동차, 한국전력공사, LG전자, 삼성생명보험, 포스코, GS칼텍스, SK네트웍스, 기아자동차, 현대중공업, 에쓰오일, SK에너지, 한국가스공사, LG디스플레이, GM대우, 교보생명, KT, SK텔레콤, 대한생명, LG화학, 롯데백화점, 신세계백화점, 삼성물산, 삼성화재해상보험, 오일뱅크, 대한항공, 삼성중공업, 현대모비스,하이닉스반도체, 현대제철, 대우조선해양, 한진해운, 대우건설, GS건설, 현대건설, 한국수력원자력, 효성, LG상사,현대상선, 현대해상화재보험, 대림산업, STX팬오션, LIG손해보험, LG텔레콤, 동부화재, 여천NCC, SK건설, 삼성테스코, 삼성SDI, 삼성토탈, 현대하이스코, 한국남부발전, 동국제강, 아시아나항공, 롯데건설, 포스코건설,한화, SK가스, ING생명, 위아,삼성테크윈, 대우차판매, 쌍용자동차, 제일모직, 한국서부발전, 한국동서발전,신한카드, 현대미포조선, 르노삼성자동차, 현대산업개발, GS리테일, 대우증권, 신한지주금융, 삼성전기, 현대삼호중공업, 우리투자증권, 비씨카드, 메리츠화재, 글로비스, 한화석유화학, 삼성카드, 현대증권, 로보트보어, 씨티글로벌증권, 한독약품, 이마트, 제일기획, 리츠칼튼, 유엔젤, 삼선개발, CJ, 코오롱, 오리온, GS마켓, 종로학원, 김영사, 아토, 코엔텍, 휴스틸, 블루클럽, 한국콘베어, 디시메로 신진화학 등 2000여 대중소기업

SAMSUNG HYUNDAI LG SK KYOBO GS ING posco CJ 금호아시아나

은행

KB국민은행, 우리은행, 신한은행, 산업은행, SC제일은행, 하나은행, 기업은행, 한국외환은행, 한국씨티은행, 농협, 수협, 축협 등

KB 우리은행 수업은행 KEB 외환은행 Standard Chartered NH농협 하나은행

관공서

금융감독원, 검찰청, 국세청, 경찰청, 법무부, 식약청, 보건복지부, 교육청, 서울시, 각 구청, 서울시, 수원시, 인천시, 안동시, 제주시, 안양시, 거제시, 상주시, 만방위교육청, 한국과학기술평가원, 보훈교육연구원, 각 지역 교육연수원, 한국교육개발원, 농업기술센터, 농업기반공사, 국립공원관리공단, 국립특수교육원, 건설교통인재개발원 한국증권업협회 등 200여개 기관

서울특별시 Fly Incheon 국세청 서울특별시교육청 보건복지부 KISTEP 한국과학기술기획평가원

병원

서울대병원, 서울아산병원, 삼성서울병원, 연세대세브란스병원, 가톨릭대 서울성모병원, 아주대병원, 고려대학암병원, 한양대병원, 중앙대병원, 신한복자정형외과, 순천향병원, 보훈병원, 봄빛병원, 이다치과, 소리이비인후과, 영신의료법인 등

SNUH 서울대학교병원 서울아산병원 ASAN Medical Center SAMSUNG 삼성서울병원 새보란스병원 고려대학교안암병원 한양대학교의료원

대학교 특강 (교양, 최고경영자과정, 명사특강)

서울대, 연세대, 고려대, 중앙대, 한양대, 서강대, 포스텍, 카이스트, 경희대, 인하대, 이화여대, 조선대, 안동대, 건국대, 동아대, 숭주대, 대전대, 청주대, 대진대, 한국산업기술대, 금오공과대, 아주대, 경기대, 숙명여대, 동국대, 순천대, 전남대, 영남대, 경기대, 강남대, 카톨릭대, 세종대, 부경대, 강원대, 부경대, 창원대, 목포대, 광주여대, 한국해양대, 세명대, 춘남대, 광운대, 울산대, 국민대, 제주대, 서울시립대, 단국대, 군산대, 강성대, 대구대, 동아방송예대, 동의과학대, 백석대, 백석예술대, 폴리텍대, 인천대 등 150여개 대학교

고려대학교 서울대학교 연세대학교 이화여자대학교 DKU 단국대학교 KAIST 서강대학교 SOGANG UNIVERSITY 경희대학교

강의 사진

600명 자자자자멘습긍 강의
(자존감, 자신감, 자기관리, 자기계발, 멘탈, 습관, 긍정)

500명 자자자자멘습긍 강의
(자존감, 자신감, 자기관리, 자기계발, 멘탈, 습관, 긍정)

최보규 방탄강사 창시자

저는 입으로 강의하지 않겠습니다.
제 삶으로 강의하겠습니다.
저는 가르치지 않겠습니다.
제 삶으로 가르치겠습니다.
최보규강사는 명강사, 스타강사가 아닙니다!
그래서 한 달에 15권 책을 보고 메모하며
강의 준비, 솔선수범 하고 있습니다!
최보규강사 보다 강의 잘하는 사람은 많습니다!
다만 최보규강사 만큼 학습자를
사랑하는 강사는 세상에 없을 것입니다!

최보규 방탄동기부여 신조

들어라 하지 말고 듣게 하자.
누구처럼 살지 말고 나답게 살자.
좋아하게 하지 말고 좋아지게 하자.
마음을 얻으려 하지 말고 마음을 열게 하자.
믿으라 말하지 말고 믿을 수 있는 사람이 되자.
좋은 사람을 기다리지 말고 좋은 사람이 되어주자.
보여주는(인기) 인생을 사는 것이 아닌
보여지는(인정) 인생을 살아가자.
나 이런 사람이야 말하지 않아도
이런 사람이구나 몸, 머리, 마음으로 느끼게 하자.

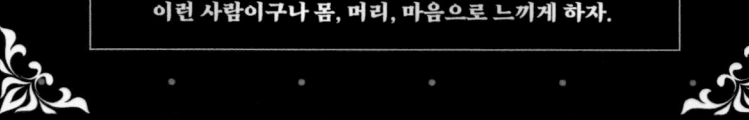

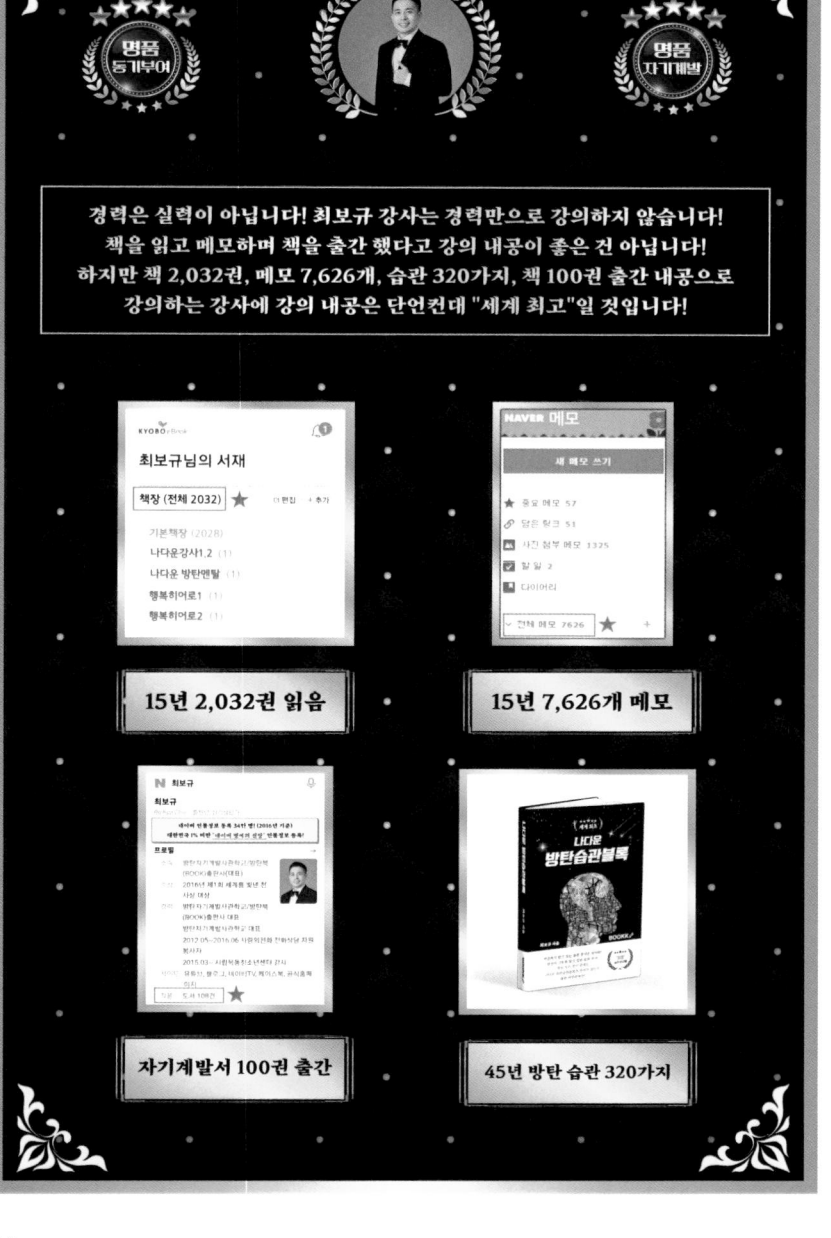

경력은 실력이 아닙니다! 최보규 강사는 경력만으로 강의하지 않습니다!
책을 읽고 메모하며 책을 출간 했다고 강의 내공이 좋은 건 아닙니다!
하지만 책 2,032권, 메모 7,626개, 습관 320가지, 책 100권 출간 내공으로
강의하는 강사에 강의 내공은 단언컨대 "세계 최고"일 것입니다!

15년 2,032권 읽음

15년 7,626개 메모

자기계발서 100권 출간

45년 방탄 습관 320가지

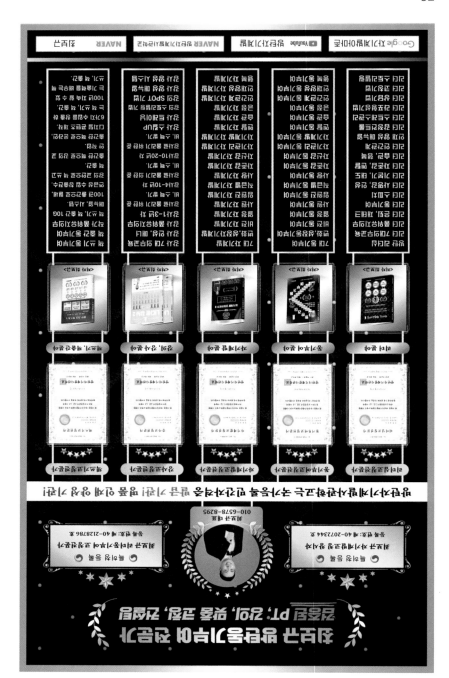

대한민국 99%가 책 쓰기, 출간하는 방법만
교육, 코칭 한다!
6가지 수입 창출 책 쓰기, 출간 기술력을
교육, 코칭 하는 곳은 방탄book출판사뿐이다.

방법만 배우면 돈이 계속 나가지만
방탄book기술력을 배우면
돈은 계속 들어온다.

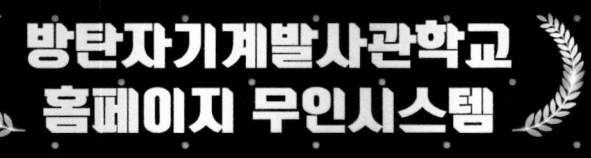

방탄자기계발사관학교
홈페이지 무인시스템

🔔 구독하기

방탄자기계발사관학교

www.방탄자기계발사관학교.com

정예 방탄자기계발 전문가를 양성하는 사관학교

🌀 특허청 등록 🌀
최보규 자기계발코칭 창시자
등록 번호: 제 40-2072344 호

🌀 특허청 등록 🌀
최보규 리더동기부여 코칭전문가
등록 번호: 제 40-2128786호

방탄자기계발사관학교 ✹

아무나 방탄자기계발전문가가 될 수 있었다면 난 절대로 방탄자기계발사관학교를 선택하지 않았을 것이다.

Google 자기계발아존 | ▶ YouTube 방탄자기계발 | NAVER 방탄자기계발사관학교 | NAVER 최보규

방탄자기계발사관학교 홈페이지 무인시스템

방탄자기계발사관학교 소개
1,000,000원

구매하기

PPT로 책 쓰기, 책 출간
200,000원

구매하기

자신 분야 6가지 수입을 창출 방법
200,000원

구매하기

방탄 사랑 사랑 사용 설명서 사랑도 스펙이다
200,000원

구매하기

⚫방탄book기술력 코칭⚫
500,000원

구매하기

자기계발아마존

자기계발 고민은 이제 그만 하자! 돈, 시간 낭비하지 마시고 한 곳에서 학습, 연습, 훈련! 검증된 전문가에게 150년 a/s, 피드백, 관리, 케어 받자!

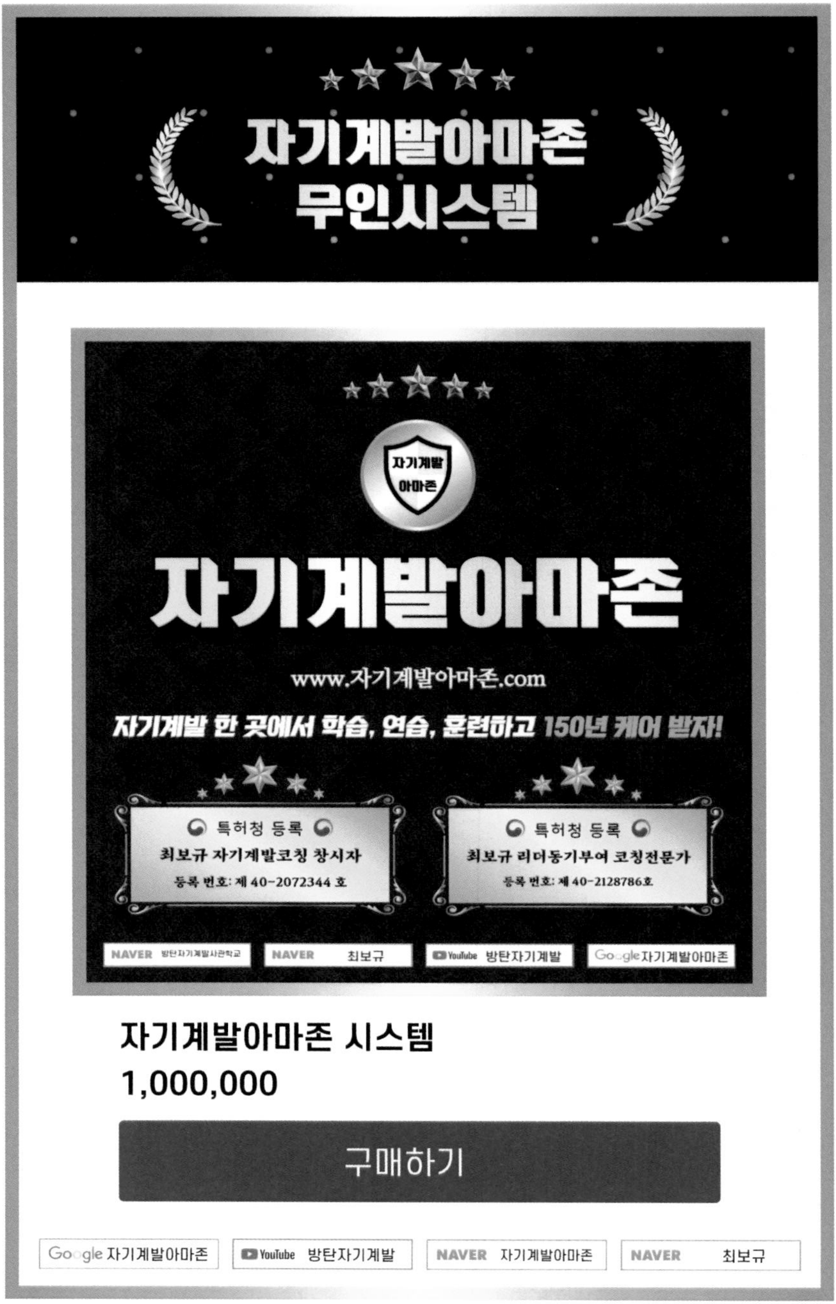

자기계발아마존
무인시스템
자기계발
아마존
자기계발아마존
www.자기계발아마존.com
자기계발 한 곳에서 학습, 연습, 훈련하고 150년 케어 받자!
특허청 등록
최보규 자기계발코칭 창시자
등록 번호: 제 40-2072344 호
특허청 등록
최보규 리더동기부여 코칭전문가
등록 번호: 제 40-2128786호
NAVER 방탄자기계발사관학교
NAVER 최보규
YouTube 방탄자기계발
Google 자기계발아마존
자기계발아마존 시스템
1,000,000
구매하기
Google 자기계발아마존
YouTube 방탄자기계발
NAVER 자기계발아마존
NAVER 최보규

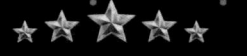

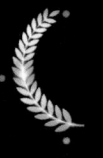

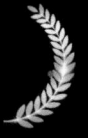

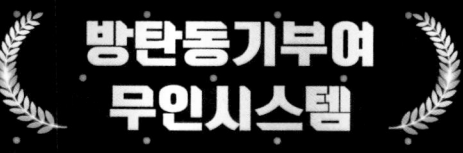

방탄동기부여
무인시스템

방탄동기부여 ✸

4차 산업 시대에는 4차 동기부여인 방탄 동기부여로 업데이트! 늘 그때뿐인 동기부여, 노오력 동기부여가 아닌 올바른 동기부여인 방탄 동기부여!

| Google 자기계발아마존 | ▶ YouTube 방탄자기계발 | NAVER 방탄동기부여 | NAVER 최보규 |

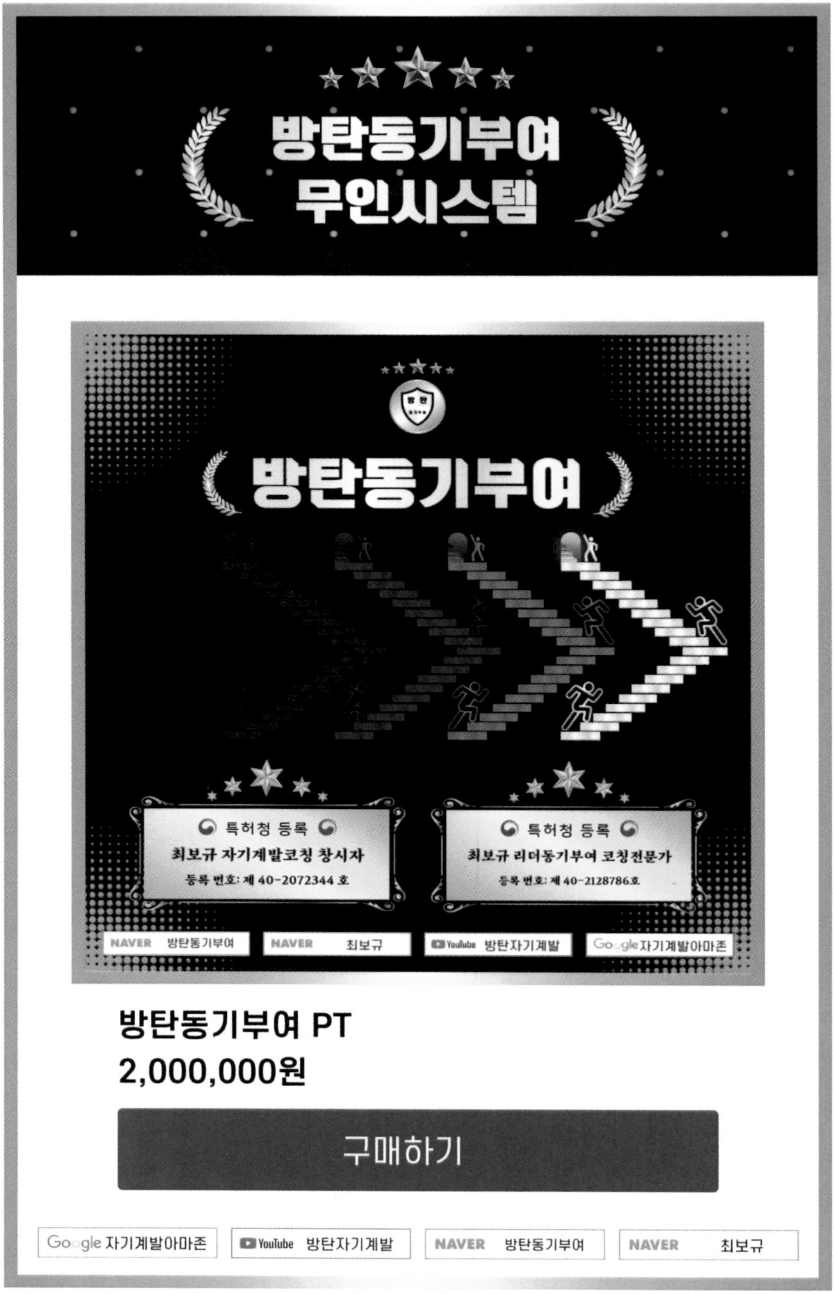

방탄동기부여 PT
2,000,000원

구매하기

목차

특허청 등록

최보규 강사책출간 코칭전문가

등록 번호: 제 40-2200794 호

세계 최초! 출판계의 혁신!

최보규의 책 쓰기

★ 10G ★

책쓰기
일타강사

세계최초
방탄
BOOK

특허청
등록

목차

⊙ 천재일우 시스템 258

(천재일우千載一遇: 천 년에 한 번 만난다는 뜻으로 좀처럼 만나기 어려운 기회)

⊙ 참고문헌, 출처 292

세계 3대 혁신!

스마트폰

전기차

방탄book기술력

세계에는 3대 혁신이 있다. 1대는 스마트폰, 2대는 전기차, 3대는 출판계의 혁신인 방탄book기술력이다. 기존 출판사 99%는 책만 출간 한다.
방탄book출판사는 6가지 수입 창출을 할 수 있는 책을 출간 한다.

세계 1대 혁신!

스마트폰 혁신

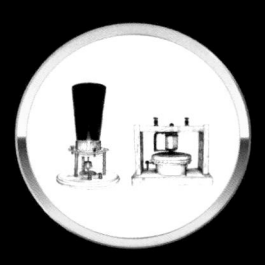

1876년
미국의 알렉산더 벨(Alexander G. Bell)

2007년 스티브 잡스
아이폰 (아이팟 + 인터넷 + 폰)

《 세계 2대 혁신! 》

자동차 혁신

1886년 세계 최초 가솔린 자동차
칼 벤츠가 발명한 '페이턴트 모터바겐'

2024년 벤츠 전기차

세계 3대 혁신!

출판계 혁신

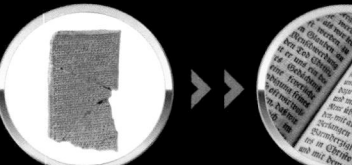

인류 최초의 책 '점토판'
BC 2700년경

2024년 현재

> ## 인류 최초의 책 ~ 24년 현재 책 <u>차이점?</u>
> ## 책 재질인 점토, 종이 차이 빼고는
> ## <u>글씨만 있는 것은 똑같다.</u>

방탄BOOK기술력
수입 창출 6가지 방법

세계 3대 혁신!

스마트폰 혁신

1876년
미국의 알렉산더 벨(Alexander G. Bell)

2007년 스티브 잡스
아이폰 (아이팟 + 인터넷 + 폰)

자동차 혁신

1886년 세계 최초 가솔린 자동차
칼 벤츠가 발명한 '페이턴트 모터바겐'

2024년 벤츠 전기차

세계 최초! 출판계 혁신!

인류 최초의 책 '점토판'
BC 2700년경

2024년 현재

인류 최초의 책 ~ 24년 현재 책 차이점?
책 재질인 점토, 종이 차이 빼고는
글씨만 있는 것은 똑같다.

방탄BOOK기술력
수입 창출 6가지 방법

Google 자기계발아마존 | ▶YouTube 방탄자기계발 | NAVER 방탄book기술력 | NAVER 최보규

세계 최초! 출판계 혁신!

책만 출간하고 끝나는 것이 아닌 자신 분야와 출간 한 책을 연결하여 <u>6가지 수입을 발생</u>시킬 수 있는 <u>기술력</u>과 <u>100년 지속</u>할 수 있는<u>기술력</u>을 마스터 한다.

우리는 이것을 <u>방탄book기술력</u>이라 부른다.

평균 희망 은퇴 73세, 현실 은퇴 나이 49세!
100세 시대 언제까지 몸(노동)으로만
일해서 돈을 벌 것인가?

세상, 현실 기준에서 스펙, 돈, 인맥, 자산 등이 없어서 100세까지 노동을 해야 되고 몸까지 아프면 더 답이 없는 상황! 젊을 때는 100가지 중 99가지를 할 수 있지만 나이 들면 100가지 중 99가지를 할 수 없다. 3고 시대, AI 시대, 챗GPT 시대에 자신의 직업이 사라 질 수 있는 상황에서 어떻게 준비, 대비할 것인가?

방탄BOOK기술력
선택이 아닌 필수!

ONLY ONE

방탄
BOOK
기술력

한 분야 전문성으로 힘든 시대다. 이제는 포트폴리오 커리어 시대다. (포트폴리오 커리어: 한 분야 전문성 외 다수에 전문성이 있는 사람) 자신 경력을 왜 썩히고 있는가! 자신 경력을 활용해서 6가지 수입을 발생시킬 수 있는 방탄book기술력! 언제까지 몸(노동)으로 일할 것인가? 자신 경력이 일하게 하자! 자신 콘텐츠가 일하게 하자! 시스템이 일하게 하자!

★ ★ ★ ★ ★

직장은 자신 인생을 책임져 주지 않지만
방탄book기술력은 자신 인생을 책임져 준다.
직장은 자신을 배신하지만
방탄book기술력은 자신을 배신하지 않는다.

ONLY ONE

방탄
BOOK
기술력

"특허청 등록"으로 검증된
최보규의 책 쓰기 10G 본질

特허청 등록
최보규 강사책출간 코칭전문가
등록 번호: 제 40-2200794 호

20,000명 심리 상담, 코칭, 종이책 150권, 전자책 250권 총 400권 출간으로 알게 된 책 쓰기, 책 출간의 본질! 사람들이 시간, 돈 낭비를 하는 이유는 본질을 모르고 책 쓰기를 하기 때문이다. 본질을 모르면 노오력만 하다 지쳐 떨어져 나가지만 본질을 알면 올바른 노력을 하게 되어 시간, 돈 낭비를 줄이고 결과를 만들어 낸다.

★ 종이책 150권, 전자책 250권 총 400권 출간으로 알게 된 책 쓰기, 책 출간의 본질

지금 시대는 노오력이 배신하는 시대이다. 자신 분야 올바른 노력을 해야지만 살아남는다.

열심히 사는 것과 진짜 원하는 삶을 사는 삶의 차이가 무엇인지 아는가? 열심히만 사는 것은 노오력(시간, 경험만 채우는 노력)이고 원하는 삶을 사는 삶은 올바른 노력(어제보다 나음, 변화, 성장, 수입 상승)이다.

누군가는 자신 분야 스펙, 경력만 쌓고 일만 한다. 일할 때 외에는 활용하지 않는다. 하지만 누군가는 자신 분야 스펙, 경력을 활용하여 책을 출간해서 제2수입, 제3수입을 올린다. 왜 가지고 있는 경력, 스펙을 썩히고 있는가? 자신 분야 경력과 스펙, 경력을 노오력이 아닌 올바른 노력을 해야 한다. 책 쓰기, 책 출간도 올바른 노력을 해야 한다는 뜻이다. 노오력과 올바른 노력 차이를 비교해 주겠다.

노오력은 한 달에 책 10권만 읽는 사람.
올바른 노력은 한 달에 15권을 읽고 책 4권 출간을 해서 자신 분야 결과를 만들어 내는 사람.
노오력은 1년에 책 100권만 읽은 사람.

올바른 노력은 1년에 책 150권을 읽고 50권 출간을 해서 자신 분야 결과를 만들어 내는 사람.

노오력은 3년 동안 책 300권 만 읽는 사람. (책만 많이 읽는다고 결과가 나오는 게 아니다.) 올바른 노력은 3년 동안 책 450권을 읽고 종이책 150권, 전자책 250권 총 400권 출간으로 자신 분야와 6가지 수입 창출 시스템을 연결하여 결과를 만들어 내는 사람.

책 1,000권을 읽은 사람보다 자신 분야 1권 출간(결과물)한 사람이 결과적으로 인정받는다. 책 1,000권 읽은 결과물을 무엇으로 증명할 것인가? 당연히 책 1,000권을 읽은 사람 중에 인생관이 바뀌어 삶의 질이 달라지고 자신 분야 터닝포인트가 되는 사람도 많다. 하지만 결과물로 인정받는 현실 속에서는 책만 많이 읽는다고 증명 할 수 있는 결과물이 없으면 1,000권, 10,000권을 읽었더라도 인정해주지 않는다.

'나 1,000권 읽었다.' 와 '나는 책 1권 출간해서 이렇게 결과를 만들어 냈다.'는 어마어마한 차이다.

결과물이 전부가 될 수 없지만 현실에서는 어떤 결과물을 만들어 냈느냐가 전부를 말해주는 경우가 더 많다는 것이다.

한 분야 전문성으로는 힘든 시대이다. 앞으로 점점 더 힘들어진다. 한 번의 행동을 하더라도 효율적으로 해야 한다. 한 번의 행동이 다른 수입과 연결이 될 수 있는 행동을 해야 된다. 그래야만 시간과 돈 낭비를 줄일 수 있고 자신 분야에서 살아남을 수 있다.

누군가는 책만 읽는다.
누군가는 책을 읽고 감동받은 것을 메모해서 방탄book 기술력과 연결하여 6가지 수입을 창출한다.

누군가는 메모만 한다.
누군가는 메모한 것으로 책을 출간해서 방탄book기술력과 연결하여 6가지 수입을 창출한다.

누군가는 책만 출간 한다.
누군가는 출간 한 책으로 방탄book기술력과 연결하여 6가지 수입을 창출한다.

누군가는 취미, 자신의 만족으로 끝나는 자기계발만 한다.
누군가는 취미, 자신의 만족으로 끝나는 자기계발이 아닌 6가지 수입이 창출 되는 방탄book기술력 자기계발을 한다.

누군가는 작가 일만 한다.

누군가는 작가 일을 하면서 방탄book기술력과 연결하여 6가지 수입을 창출한다.

누군가는 강사 직업만 한다.

누군가는 강사 직업을 하면서 강사 분야 책을 출간 하여 방탄book기술력과 연결하여 6가지 수입을 창출한다.

누군가는 유튜버만 한다.

누군가는 유튜버를 하면서 제작한 영상 콘텐츠로 책을 출간해서 방탄book기술력과 연결하여 6가지 수입을 창출한다.

누군가는 영상 편집자 직업만 한다.

누군가는 영상 편집 기술력을 책으로 출간해서 방탄book기술력과 연결하여 6가지 수입을 창출한다.

누군가는 디자인 직업만 한다.

누군가는 디자인한 것으로 디자인 분야 책을 출간해서 방탄book기술력과 연결하여 6가지 수입을 창출한다.

누군가는 영업만 한다.

누군가는 영업 노하우를 책으로 출간해서 방탄book기술력과 연결하여 6가지 수입을 창출한다.

누군가는 자신 분야 프리랜서만 한다.
누군가는 자신 분야 책을 출간해서 방탄book기술력과 연결하여 6가지 수입을 창출한다.

누군가는 코칭 직업만 한다.
누군가는 코칭 직업을 하면서 코칭 분야 책을 출간해서 방탄book기술력과 연결하여 6가지 수입을 창출한다.

누군가는 홈페이지만(수입 창출이 되지 않는 홈페이지) 만들기 위해 전문가에게 100만 원 ~ 1,000만 원 비용을 지불하고 지속적인 관리비용을 지불한다.
누군가는 무인 시스템(수입 창출이 되는 홈페이지)이 되는 홈페이지를 만들어서 방탄book기술력과 연결하여 6가지 수입을 창출하고 관리비용이 발생하지 않는다.

당신은 전자인가 후자인가? 3고 시대 당신은 지금 어떻게 일을 하고 있는가? 지금 하는 방법으로 계속 하는데 밝은 미래가 그려진다면 그대로 하면 된다. 지금 하는 방법으로 하는데 미래가 어둡게 느껴진다면 정신 바짝 차리고 집중해서 책을 보길 바란다. 어두운 미래에 한 줄기 빛이 보일 것이다. 이 책이 당신에게 천재일우가

될 수 있다는 것이다. (천재일우千載一遇: 천 년에 한 번 만난다는 뜻으로 좀처럼 만나기 어려운 기회)

자신의 스펙, 경력, 전문성으로 한 가지 수입이 아닌 6가지 수입까지 만들 수 있는 시스템이 있다면 시작 하겠는가? 일 할 때 외에는 활용하지 않아서 썩고 있는 자신의 스펙, 경력, 전문성으로 6가지 수입 까지 창출할 수 있는 기술력이 방탄book기술력이다.

당신이라면 어떤 사람을 책 쓰기, 책 출간 전문가라고 할 것인가?
어떤 전문가에게 책 쓰기, 책 출간 교육, 코칭을 받을 것인가?
1. 책 10,000권 읽고 책 12권 출간 한 사람.
2. 책 2,000권 읽고 종이책 150권, 전자책 250권 총 400권 출간 한 사람.
1번 사람과, 2번 사람의 차이가 무엇인지 아는가? 책 쓰기, 책 출간 방법만 알고 있느냐 책 쓰기, 책 출간 기술력을 알고 있느냐 차이라는 것이다.

필자가 방탄book기술력을 보유했기 때문에 400권을 출간할 수 있었다는 것이다.
방법만 배우면 한 번에 결과가 나오지만 기술력을 배우

면 21세기 황금알을 낳는 거위라는 무인 자동 시스템을
만들 수 있다.

누구도 말할지 못한 방탄book기술력
어디에서도 보지 못한 방탄book기술력
어떤 책에서도 보지 못한 방탄book기술력
어떤 영상에서도 보지 못한 방탄book기술력
어떤 사람에게도 들을 수 없는 방탄book기술력

대한민국 최초, 세계 최초 출판계의 혁신!
방탄book기술력은 선택이 아닌 필수이다!

1

같은 환경 속에서
누군가는 한가지만 하는 사람!
누군가는 한가지를 하면서
6가지를 연결시켜 수입 창출!

책만 읽고 감동만 받으며 끝난다.

책을 읽고 감동받은 것을 메모해서
방탄book기술력과 연결하여
6가지 수입 창출

| 1수입 | 2수입 | 3수입 | 4수입 | 5수입 | 6수입 |

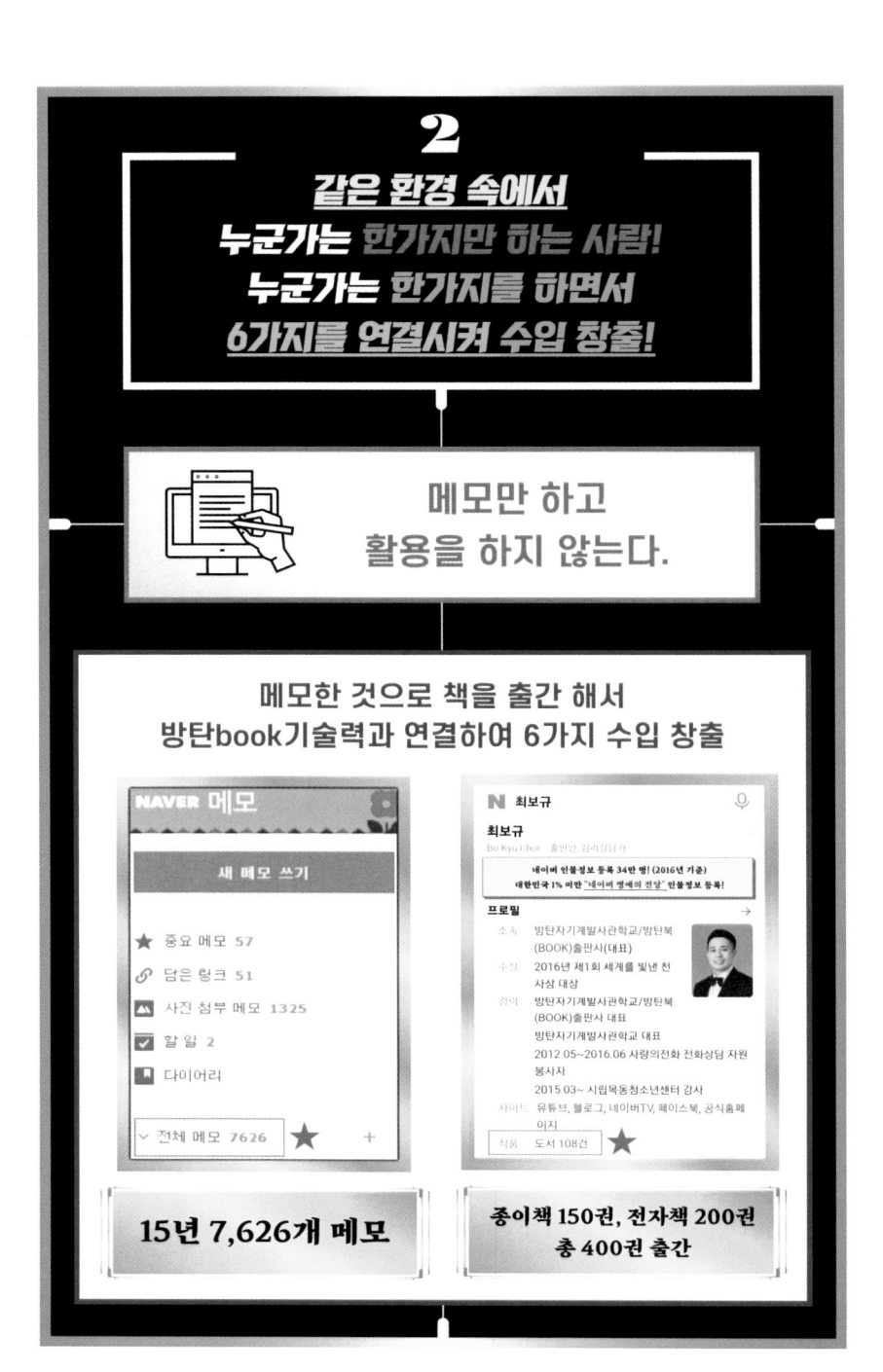

2
같은 환경 속에서
누군가는 한가지만 하는 사람!
누군가는 한가지를 하면서
6가지를 연결시켜 수입 창출!

메모만 하고
활용을 하지 않는다.

메모한 것으로 책을 출간 해서
방탄book기술력과 연결하여 6가지 수입 창출

NAVER 메모

새 메모 쓰기

★ 중요 메모 57
🔗 담은 링크 51
🖼 사진 첨부 메모 1325
☑ 할 일 2
📖 다이어리

∨ 전체 메모 7626 ★ +

15년 7,626개 메모

N 최보규

최보규
Bo Kyu Choi 출판인, 참여있다가

네이버 인물정보 등록 34만 명! (2016년 기준)
대한민국 1% 미만 "네이버 명예의 전당" 인물정보 등록!

프로필
소속 방탄자기계발사관학교/방탄북
(BOOK)출판사(대표)
수상 2016년 제1회 세계를 빛낸 천
사상 대상
강의 방탄자기계발사관학교/방탄북
(BOOK)출판사 대표
방탄자기계발사관학교 대표
2012.05~2016.06 사랑의전화 전화상담 자원
봉사자
2015.03~ 시립목동청소년센터 강사
사이트 유튜브, 블로그, 네이버TV, 페이스북, 공식홈페
이지
작품 도서 108건 ★

**종이책 150권, 전자책 200권
총 400권 출간**

3

같은 환경 속에서
누군가는 한가지만 하는 사람!
누군가는 한가지를 하면서
6가지를 연결시켜 수입 창출!

누군가는 책만
출간 한다.

출간 한 책으로 방탄book기술력과
연결하여 6가지 수입 창출

방 탄
book 기술력
전문가

| ? | ? | ? | ? | ? | ? |

5 5 50000 | 5 5 50000 | 5 5 50000 | 5 5 50000 | 5 5 50000 | 5 5 50000

| 1수입 | 2수입 | 3수입 | 4수입 | 5수입 | 6수입 |

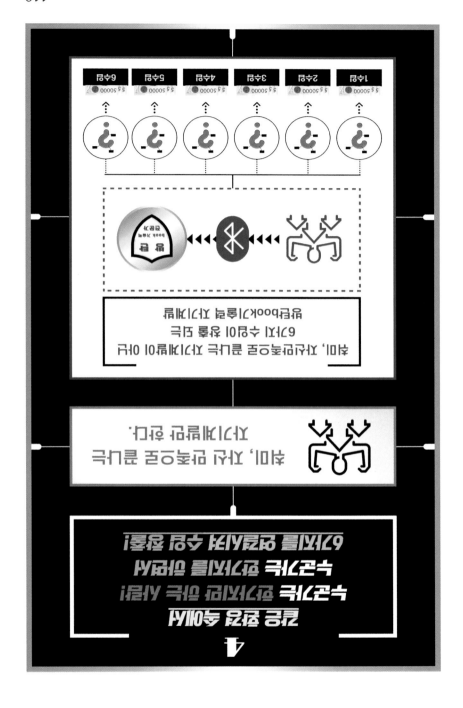

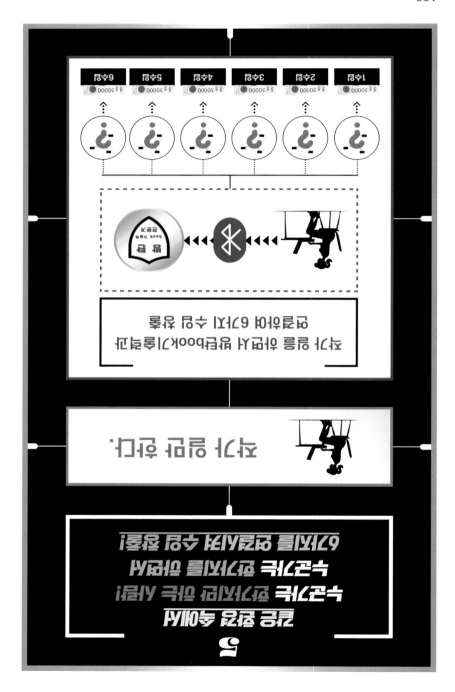

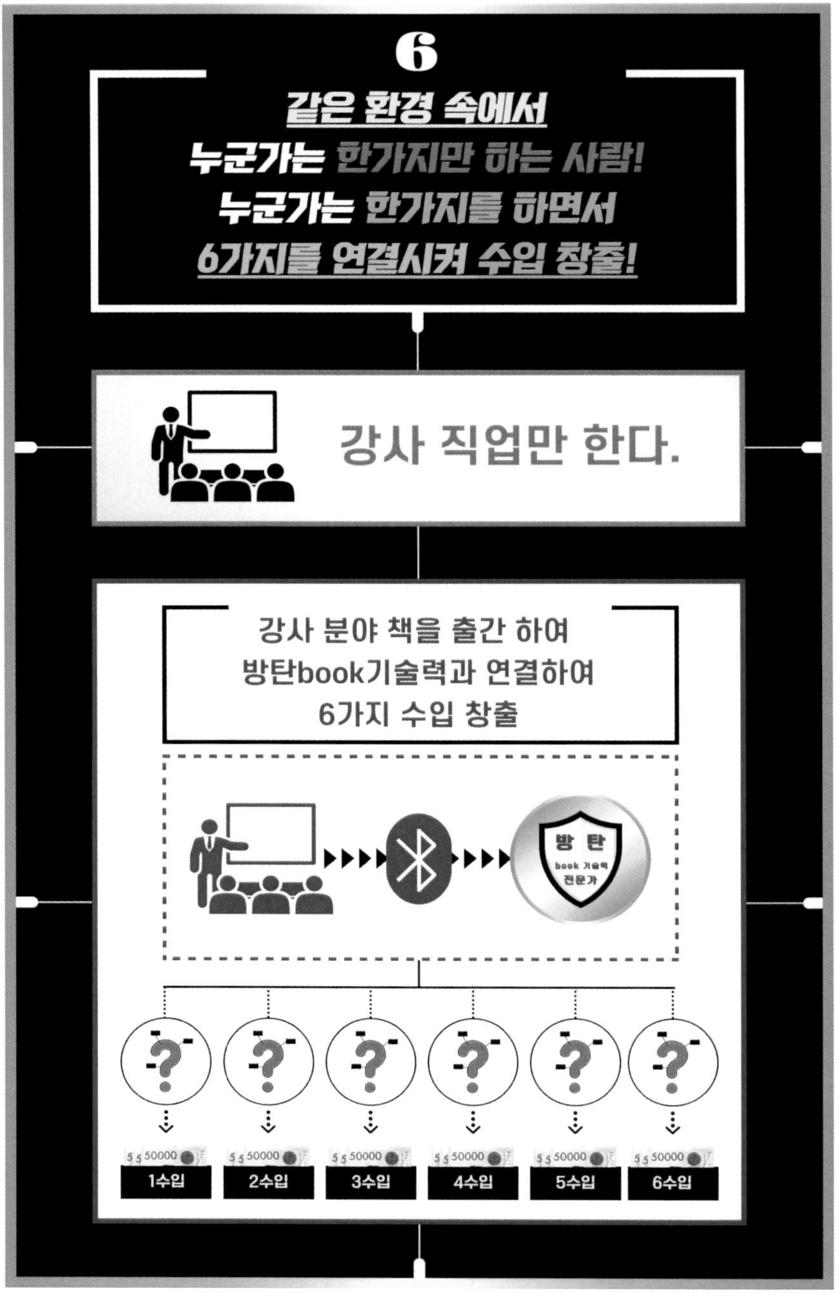
6
같은 환경 속에서
누군가는 한가지만 하는 사람!
누군가는 한가지를 하면서
6가지를 연결시켜 수입 창출!
강사 직업만 한다.
강사 분야 책을 출간 하여
방탄book기술력과 연결하여
6가지 수입 창출
방 탄
book 기술력
전문가
1수입
2수입
3수입
4수입
5수입
6수입

10

같은 환경 속에서
누군가는 한가지만 하는 사람!
누군가는 한가지를 하면서
6가지를 연결시켜 수입 창출!

영업만 한다.

영업 노하우를 책으로 출간해서
방탄book기술력과 연결하여
6가지 수입 창출

방 탄
book 기술력
전문가

| 1수입 | 2수입 | 3수입 | 4수입 | 5수입 | 6수입 |

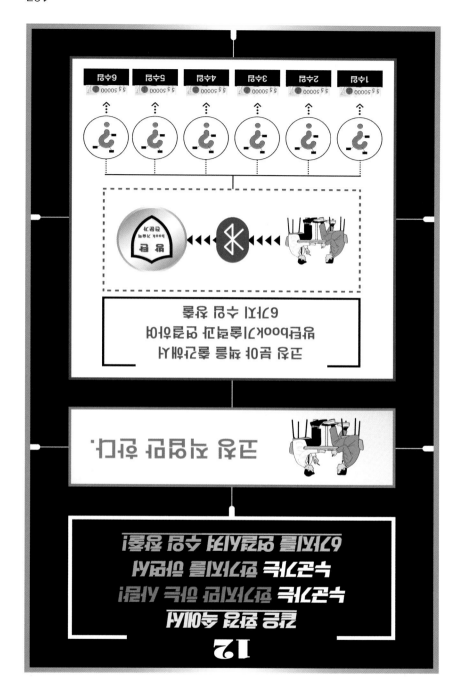

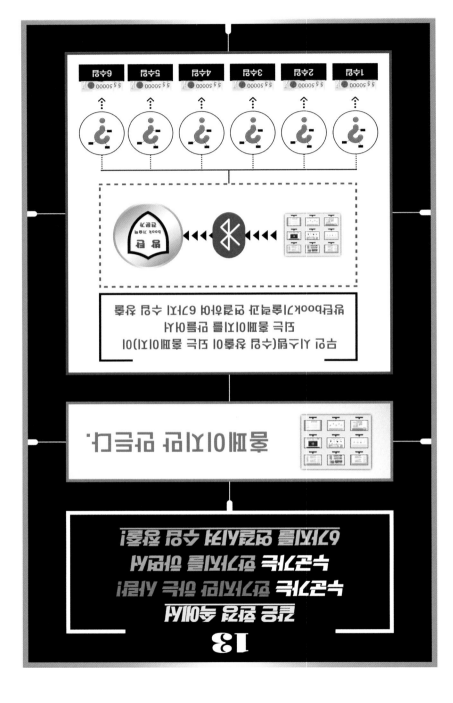

평균 희망 은퇴 73세, 현실 은퇴 나이 49세! 100세 시대 언제까지 몸(노동)으로만 일해서 돈을 벌 것인가?

세상, 현실 기준에서 스펙, 돈, 인맥, 자산 등이 없어서 100세까지 노동을 해야 되고 몸까지 아프면 더 답이 없는 상황! 젊을 때는 100가지 중 99가지를 할 수 있지만 나이 들면 100가지 중 99가지를 할 수 없다. 3고 시대, AI 시대, 챗GPT 시대에 자신의 직업이 사라 질 수 있는 상황에서 어떻게 준비, 대비할 것인가?

방탄BOOK기술력 선택이 아닌 필수!

ONLY ONE

방탄
BOOK
기술력

★ 자신 분야 삼성(진정성, 전문성, 신뢰성)을 표면적으로 증명해 주는 것이 학위다. 학위만큼 인정해 주는 것이 자신 분야 전문 책 출간이다?

먼저 알아야 할 것이 있다. 필자에게 방탄book기술력 특강이 의뢰가 들어오면 상황에 따라 강사료를 절충해 주지만 기본 방탄book기술력 특강 1시간 강사료가 200만 원이다. 이 책을 보고 있는 당신이 알아야 할 것은 지금 하는 스토리텔링이 200만 원 가치의 특강을 듣는 거와 같다는 것을 알아야 한다. 200만 원 가치 시작한다.

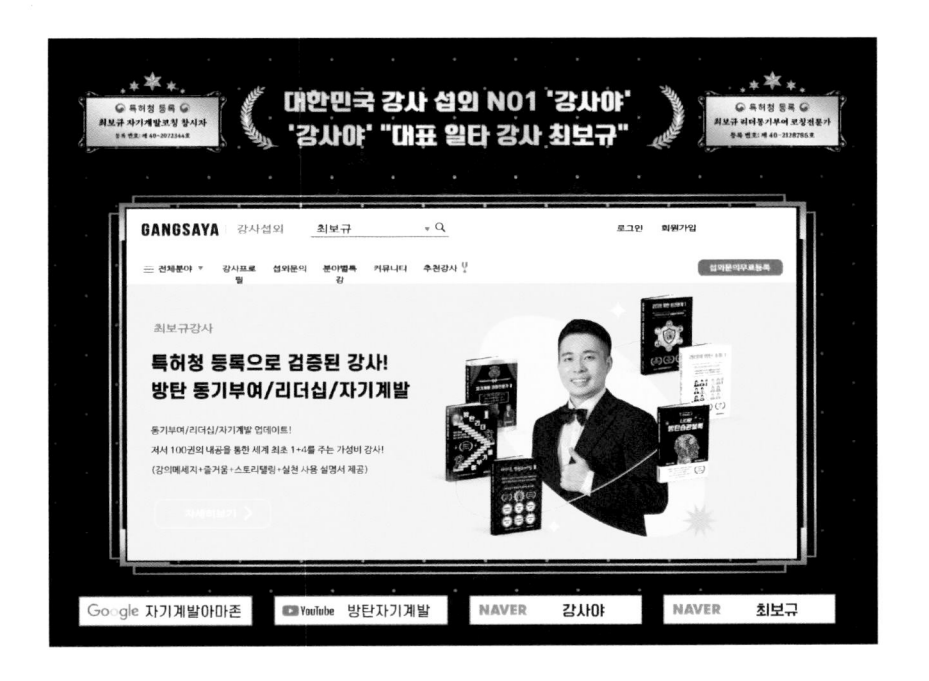

2018년 강사 직업을 10년 차 때이다. 전국을 돌아다니며 강의를 하면서 강사 양성 코칭까지 왕성하게 했다. 강사 직업을 떠나서 어떤 분야든 10년 경력이 있으면 전문가라고 말을 한다.

강사 일을 10년 하면서 내 강의 분야는 전문가라고 말은 하지만 표면적으로 증명할 수 있는 것이 없었다. 업체에서 강의했던 경력, 강사 경력 외에는 표면적으로 전문가라고 증명할 수 있는 게 없었다. 강의 분야 석사, 박사 학위가 있다면 어느 정도 증명이 되지만 표면적으로 증명할 수 있는 게 없었다. 그래서 필자는 늘 이런 고민을 했다.

"강사 직업 10년, 강사 양성 코칭을 하고 있는데 표면적으로 증명할 수 있는 것이 없다. 어떻게 내가 '강사 양성 코칭 전문가'라고 할 수 있을까? 이건 아니건 같은데..."라는 생각이 들었다. "대부분 강사들이 표면적으로 보여 줄 것이 없는데도 자신 분야 전문가라고 하는데 나도 대충 둘러대지 뭐! 남들 다하는데 뭐! 인생 뭐 있어 대충 하자! 강사료 더 받는 것도 아니고 대충 하지 뭐!"라는 얄팍한 태도로 강사 직업, 강사 양성 코칭 전문가를 하고 싶은 마음이 목까지 올라왔다. 하지만 강사 양성 코칭 전문가의 타이틀에 먹칠하고 싶지 않아서

"어떻게 하면 강사 10년 경력, 강사 양성 코칭 전문가 경력을 표면적으로 증명할 수 있는 것이 무엇일까?" 라는 태도로 알아보면서 독서를 꾸준히 했다.

어느날 페이스북 친구인 지인 강사 SNS에 '알고 지내는 사람이 책을 출간했다.'라고 하면서 공유를 한 것이다. 책 제목이 《강의를 책으로 바꾸는 기술》이었다. '강의를 책으로 출간할 수 있다고?' 순간 관심이 생겨 바로 종이책 주문을 해서 책을 2시간 안에 읽었다. 하지만 필자에게 연감을 주는 내용은 없었다. 시간이 흘러《강의를 책으로 바꾸는 기술》책 내용이 누적이 되어 도움이 되었다는 것을 뒤늦게 알았다.《강의를 책으로 바꾸는 기술》책 쓰기 책이 강사를 위한 책이라면 다음으로 나오는《PPT로 책 출간》책 쓰기 책은 PPT를 사용하는 모든 사람들에게 도움이 되는 내용이다.

천재일우 타임! (천재일우千載一遇: 천 년에 한 번 만난다는 뜻으로 좀처럼 만나기 어려운 기회)
300만 리더, 프리랜서, 강사, PPT를 활용하는 모든 사람들이 기다리고 기다리던 기술력! 누군가는 PPT를 활용해서 경력만 쌓고 일만 한다. 일할 때 외에는 활용하지 않는다. 하지만 누군가는 PPT를 활용하여 책을 출간해서 제2수입, 제3수입을 올린다. 왜 가지고 있는 경력, 가지고 있는 PPT를 썩히고 있는가?

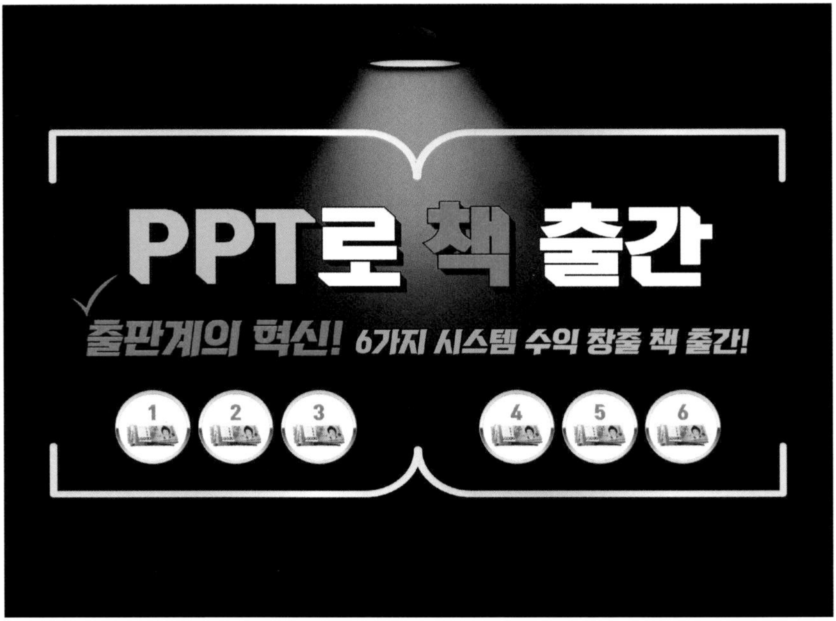

PPT를 활용해서 일하는
300만 명 리더, 프리랜서, 전문가들이 기다리던 소식!

누군가는 PPT를 활용해서 경력만 쌓고 일만 하며
일할 때 외에는 활용하지 않는다. 그래서 인생이 힘든 것이다!

누군가는 PPT를 활용하여 책을 출간해서
6가지 수입을 올린다.
왜 가지고 있는 경력, 가지고 있는 PPT를 썩히고 있는가?

20,000명 심리 상담, 코칭으로 알게 된 사람들이 바라는 시스템!

6가지 모두 가능하게 만드는 시스템이 있다?

“
세계 최초! 출판계의 혁신!
방탄book기술력
”

방탄book기술력
[수입 창출 6가지 시스템]
1수입
2수입
3수입
4수입
5수입
6수입
자신 분야를 방탄book기술력과 연결하여 수입 극대화!

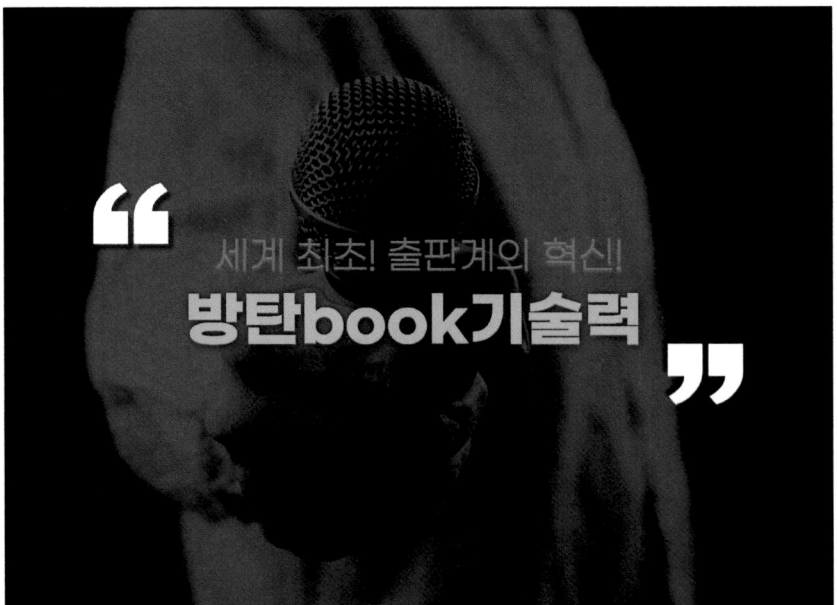

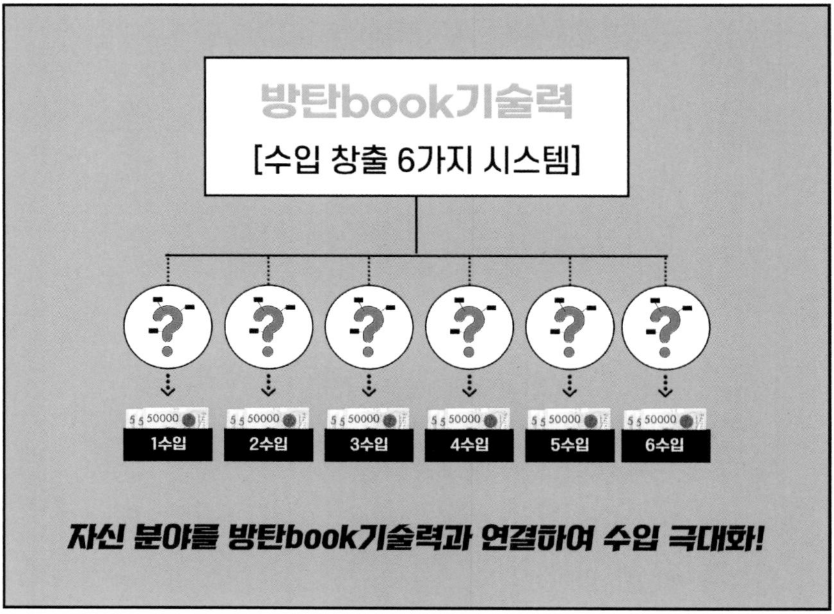

PPT로 책 출간
당신의 지금 걱정, 고민을 해결해 줄 시스템!
수입 창출 6가지 방법 종이책 평생 소장하기!
Google 자기계발아마존
YouTube 방탄자기계발
NAVER PPT로책출간
NAVER 최보규

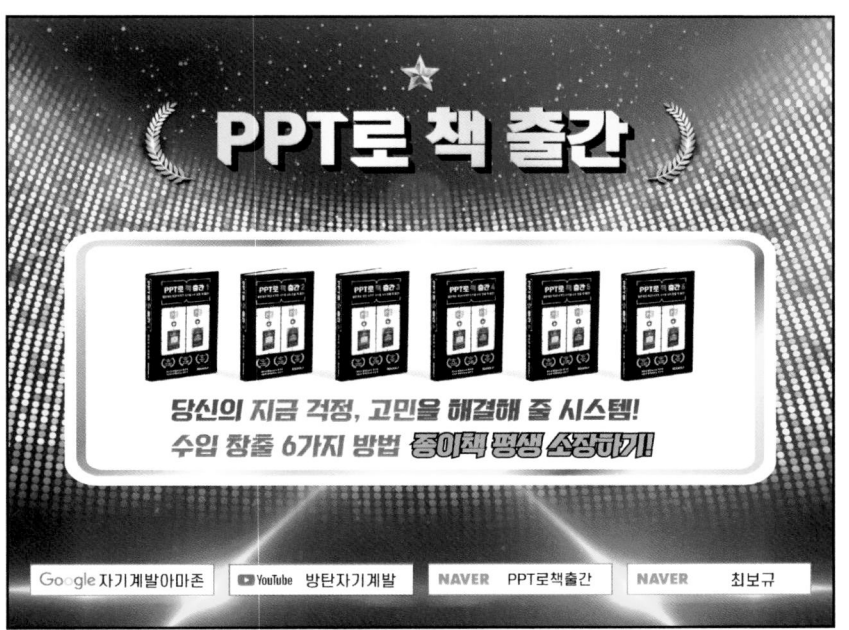

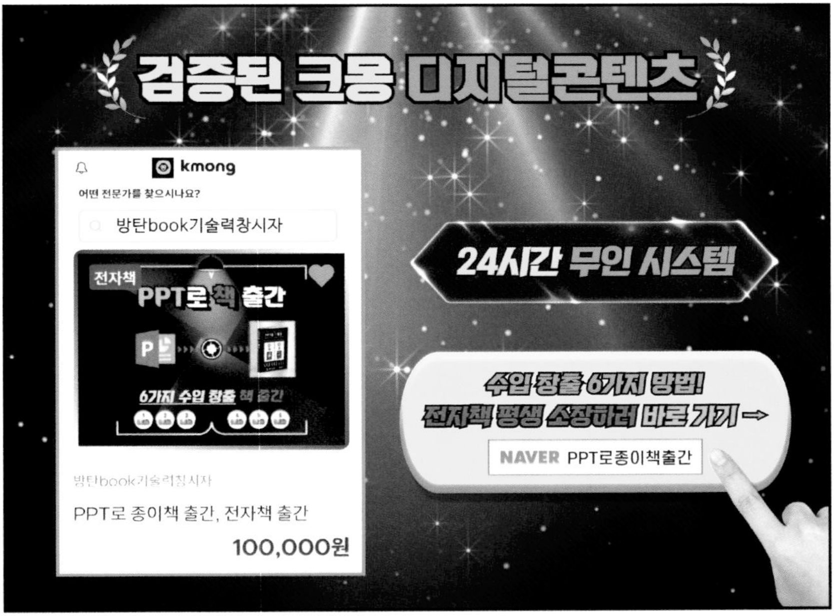
검증된 크몽 디지털콘텐츠
kmong
어떤 전문가를 찾으시나요?
방탄book기술력창시자
전자책
PPT로 책 출간
6가지 수입 창출 책 출간
방탄book기술력창시자
PPT로 종이책 출간, 전자책 출간
100,000원
24시간 무인 시스템
수입 창출 6가지 방법!
전자책 평생 소장하러 바로 가기 →
NAVER PPT로종이책출간

다시 돌아와서 그 뒤로 며칠이 지난 뒤 강사 양성 코칭을 하고 난 뒤 카페에서 책을 보고 있는데 10G 속도로 순간 머리에 이런 생각이 떠오르는 것이었다.

"강사 양성 코칭 할때 만들어 놓은 강사양성시스템 교육, 코칭 PPT 자료 몇 천 장 만들어 놓은 것을 책으로 출간하면 되겠는데? Oh My God! Unbelievable! 왜 이 생각을 못 했을까? 책 2권은 나오겠는데? 이거다! 강사 양성 코칭 전문서적을 출간한다면 표면적으로 증명이 되고 강사 양성 코칭 가치가 올라간다. '학위 못지않게 인정을 해준다는 것을 이제야 알았다니' 우물 안 개구리였구나! '가지고 있는 것을 활용을 못했다니' 그래도 지금이라도 알게 돼서 다행이다. 그래, 강사 분야 전문 서적 출간 시스템 작업을 시작해보자!"

"강사 분야 전문 서적을 출간해야겠다."라는 마음먹은 순간 당일부터 원고 작업을 시작하여 6개월에 걸쳐 2권 불량의 원고를 마무리하게 되었다. 책 한 권 원고 작업하는데 기본 3개월 ~ 6개월 걸리는데 필자는 PPT 자료가 몇 천 장 있었기에 2권 불량이 6개월에 가능했다.

원고를 마무리하고 기획출판을 하기 위해서 출간 기획서를 만들어서 출판사마다 몇 백 개 메일을 보냈다. 예를 들어 100개 메일을 보냈다면 10%만 거절 메일이 오고 90%는 거절 메일도 오지 않았다. 긍정적으로 검토하고 메일 주겠다는 메일은 1~2개뿐이었다. 투고의 현실을 뼈저리게 알게 되었던 시간이었다.

다음은 《PPT로 책 출간 1》 책에 나오는 투고가 무엇인지 디테일하게 알려주는 내용이다.

책 쓰기 5단계
원고 → 초고 → 퇴고 → 탈고 → 투고

원고는 책을 쓰기 위한 한글(HWP)원고 기본 규격 세팅 단계다.
초고는 초벌로 쓴 원고다.
퇴고는 원고를 고쳐 쓰는 단계다.
탈고는 원고를 마무리하는 단계다.
투고는 마무리한 원고를 출간하기 위해 출판사에 보내는 단계다.

투고의 해석 "내 원고 한번 읽어 보고 대중적으로 인기가 있을 거 같거나 돈이 될 거 같으면 1,000만 원 ~ 3,000만 원 투자해서 출간 해주세요." 라는 직설적인 의미가 있다.

이것을 로또 2등과 같다고 하는 기획출판이라고 한다. 그래서 아무나 기획출판을 하지 못한다. 필자의 대표적인 기획 출판의 책이 《나다운 방탄멘탈》이다. 300개가 넘는 출판사에 출판 기획서를 만들어서 보냈다. 거절 메일이 몇 개가 왔을 거 같은가? 누군가는 투고 스트레스 때문에 원형 탈모가 오고 소화불량, 우울증까지 걸린 사람도 있다. 당연한 것이다. 1,000만 원 ~ 3,000만 원 (책 한 권 작업하는 모든 비용인 인건비, 책 부수, 홍보비, 유통비, 물류비...)을 투자해 주는데 아무나 기획출판을 해주겠는가? 출판사에서는 리스크를 감수하고 기존에 경험과 가능성으로 기획출판을 하기 위해서 신중에 신중할 수밖에 없다. 하루 만에도 대형 출판사에 평균 투고 원고가 100개 이상이 온다고 한다.

그래서 대부분 책 출간하는 사람들이 자비출판, 대필 출판을 한다. 돈만 있으면 투고 스트레스 없이 책을 출간할 수 있기 때문이다. 그래서 시간의 여유가 없고 책 쓰기를 해보지 않은 사람들, 국회의원, CEO, 유명인사들 대부분이 대필 출판을 한다. 대필 출판이 불법, 이상한 것이 아니다. 머릿속에 있는 내용을 말로는 하기 쉬운데 글로 쓰고 정리하는 것이 힘들기에 대필 전문가에게 의뢰를 해서 책을 출간한다. 자비 출판은 자신이 써 놓은 원고가 있는 상태에서 100만 원 ~ 500만 원 들어가고 대필 출판은 원고가 없어도 가능하며 기본 400만 원 ~ 1,000만 원까지 들어간다. 대필 출판은 책 출간이 아니라는 말이 있다.

'책을 출간 한다.'기 보다는 '책을 산다.'라는 말이 더 가깝다. 그래서 원고를 직접 써본 사람과 안 써본 사람 차이는 하늘과 땅 차이이다.

《PPT로 책 출간 1》

투고(마무리한 원고를 출간하기 위해 출판사에 보내는 단계)를 하면서 거절 메일(거절 메일이 안 오는 것도 거절이다)을 몇 백 개 받다 보면 이런 생각이 든다.

"《나다운 강사 1》, 《나다운 강사 1》 이런 책 시중에 없는데. 시중에 있는 강사 책 20권은 봤지만 내 책만큼 강사 직업 디테일한 내용을 본적이 없는데... 왜 몰라보는 거지? 어처구니가 없네... 아 진짜! 못해 먹겠네! 그럼에도 불구하고 몇 백 개 더 투고 메일 보내 볼까? 언제까지 안 되는지, 누가 이기는지 대한민국에 출판사에 다 보내봐? 아우! 지친다. 지쳐..."

투고 메일을 보내고 거절 메일을 몇 백 개 받다 보면 로또 2등과 같은 기획출판이 될 거라는 처음 자신감은

90%에서 30%로 떨어졌다. 자신감이 떨어졌을 때 순간 김광진 가수에 편지 노래 가사가 떠올랐다.

여기까지가 끝인가 보오 이제 나는 돌아서겠소.
억지 노력으로 인연을 거슬러 괴롭히지는 않겠소.
하고 싶은 말 하려 했던 말 이대로 다 남겨 두고서.
혹시나 기대도 포기하려하오. 그대 부디 잘 지내시오.
기나긴 그대 침묵을 이별로 받아 두겠소.
행여 이맘 다칠까 근심은 접어두오.

이런 상황에서 "어떻게 하면 책을 출간 할 수 있을까?" 라는 태도로 알아보는 중 기획출판에 한 단계 아래인 공동기획출판이 눈에 들어왔다. 지금 생각해 보면 말이 공동기획출판이지 자비출판과 같은 것이었다. 자비출판은 원고가 있는 상태에서 평균 한 권 출간 비용 300만 원 투자해서 책을 출간하는 방식이다.

'그래, 꿩 대신 닭이다.'라는 마음을 먹고 공동기획출판을 하게 되었다. 필자의 책 출간 스타트인 《나다운 강사 1》, 《나다운 강사 1》 책 2권이 나오기까지 그때 당시 여자 친구였고 지금은 우주에서 가장 존경하는 아내의 내조가 없었다면 지금 종이책 150권 출간, 전자책 250권 출간 총 400권 출간을 할 수 없었을 것이다. 최보규 방탄book기술력 코칭 전문가의 모든 것들은 우주에서 가장 존경하는 아내가 없었으면 이룰 수 없었다. 다시 한 번 우주에서 가장 존경하는 아내에게 감사하다는 말을 전한다. 1,000년 동안 은혜 보답하기 위해 행동할 것이다. 다음 생에 다다음 생에 다다다음 생에도... 은혜를 갚을 것이다.

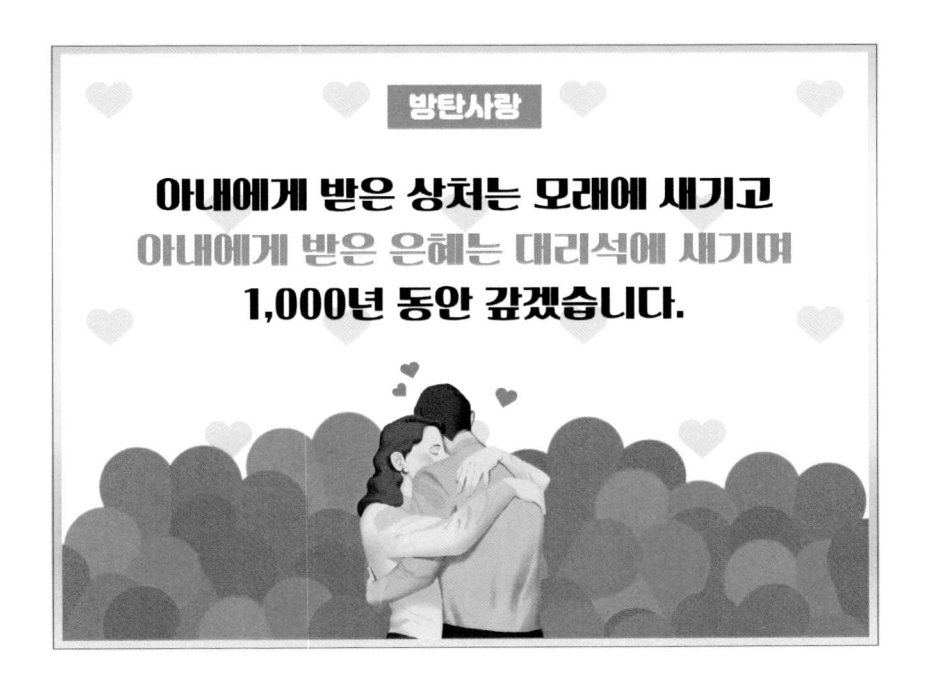

《나다운 강사 1》, 《나다운 강사 1》책 2권이 강사 분야 베스트셀러가 되고 3번째 책인《나다운 방탄멘

탈》을 기획 출판하여 멘탈 분야 베스트셀러가 되었다. 4번째 책을 출간하면서 천재일우인 <부크크출판사>를 알게 되었다. 부크크출판사를 만났기에 종이책 150권, 전자책 250권 총 400권 책을 출간할 수 있었다.

부크크출판사를 만나지 못했다면 종이책 150권, 전자책 250권 총 400권 책은 1,000년이 걸려도 출간하지 못했을 것이다.

'당신에게 부크크출판사가 왜! 천재일우인가?' 그 이유는 부크크출판사는 스펙, 돈, 외모, 인맥, 실력 등을 따지지 않는다는 것이다. 묻지도 따지지도 않는다는 것이다.

세상에 스펙, 돈, 외모, 인맥, 실력 따지지 않고 할 수 있는 것이 있는가? 있을 수 있지만 극히 드물고 주위에 찾아볼 수가 없을 것이다. 가장 중요한 것은 돈이 들어가지 않는다는 것이다. 기본적인 것만 하면 무료로 책을 출간할 수 있다는 것이다. 그래서 스펙, 돈, 외모, 인맥, 실력 없는 당신에게는 부크크출판사가 천재일우라고 말을 하는 것이다.

당연히 돈의 여유가 있어서 자비출판(1권 출간 비용 평균 300만 원), 대필출판(1권 출간 비용 평균 500만 원)으로 얼마든지 출간을 할 수 있다.

부크크출판사를 통해 한 권 출간 하면 2 ~ 3권 출간할 수 있는 수준이 생기고 2권 ~ 3권 출간하면 10권 출간할 수 있는 수준이 생기며 10권 출간하면 50권, 100권...을 출간할 수 있는 수준이 생긴다. 한 마디로 하나의 결과를 만들면 또 다른 것이 보이고 또 다른 연결고리가 형성되는 것이다.

단순하게 책 1권 출간 목적이 얼마 되지 않는 인세(저작권료), 이름 석 자 남기는 성취감, 자신을 알고 있는 사람들에게 자랑하기 위해, 스펙 하나 올리기 위해, 자신 전문분야 인정받기 위해서 책 출간한다는 것도 좋다.

하지만 지금 3고(고물가, 고금리, 고환율) 시대, AI 시대, 챗 GPT 시대... 숨만 쉬어도 200만 원 ~ 300만 원이 나가는 시대다. 통계청에 의하면 평균 희망 은퇴 73세, 현실 은퇴 나이 49세, 한 분야 전문성으로 힘든 상황에서 책 1권 출간으로 만족하는 것이 아니라 자신 분야와 연결하여 6가지 수입 창출까지 할 수 있는 책 출간을 해야 한다.
책 1권 출간으로 6가지 수입 창출 까지 할 수 있는 것이 방탄book기술력이다.

세상, 현실 기준에 맞는 스펙 있는가?
세상, 현실 기준에 맞는 돈 있는가?

146

세상, 현실 기준에 맞는 외모 되는가?

세상, 현실 기준에 맞는 인맥 있는가?

세상, 현실 기준에 맞는 실력 있는가? 다 없다면 아무것도 묻지도 따지지도 않는 부크크출판사는 당신에게는 천재일우다.

★ 방탄book기술력(수입 창출 6가지 시스템)과 자신 분야 연결

누구나 움직이지 않아도 노동을 하지 않아도 돈을 버는 시스템을 바란다.

움직이지 않아도 노동을 하지 않아도 돈이 들어오는 시스템을 만들 수 있다면?
여행 중에도 돈이 들어오는 시스템?
쉬는 동안에도 돈이 들어오는 시스템?
직원이 없어도 돈이 들어오는 시스템?
사무실이 없고 사무실 임대료 걱정 없이 돈이 들어오는 시스템? ....
숨만 쉬어도 기본 한 달에 200~300만 원이 지출 되는 3고 시대에서 숨만 쉬어도 돈이 매월 자동으로 들어온다면? 연금처럼 매월 돈이 나오는 시스템? 건물주처럼 월세가 매월 나오는 시스템?

자동으로 한 달에 100만 원을 벌 수 있는 시스템을 만든다면 3억짜리 건물을 가지고 있는 건물주다.
자동으로 한 달에 50만 원을 벌 수 있는 시스템을 만든다면 1억 5천만 원짜리 건물을 가지고 있는 건물주다.
자동으로 한 달에 10만 원을 벌 수 있는 시스템을 만든

다면 3천만 원짜리 건물을 가지고 있는 건물주다.
자동으로 한 달에 1만 원을 벌 수 있는 시스템을 만든
다면 300만 원짜리 건물을 가지고 있는 건물주다.

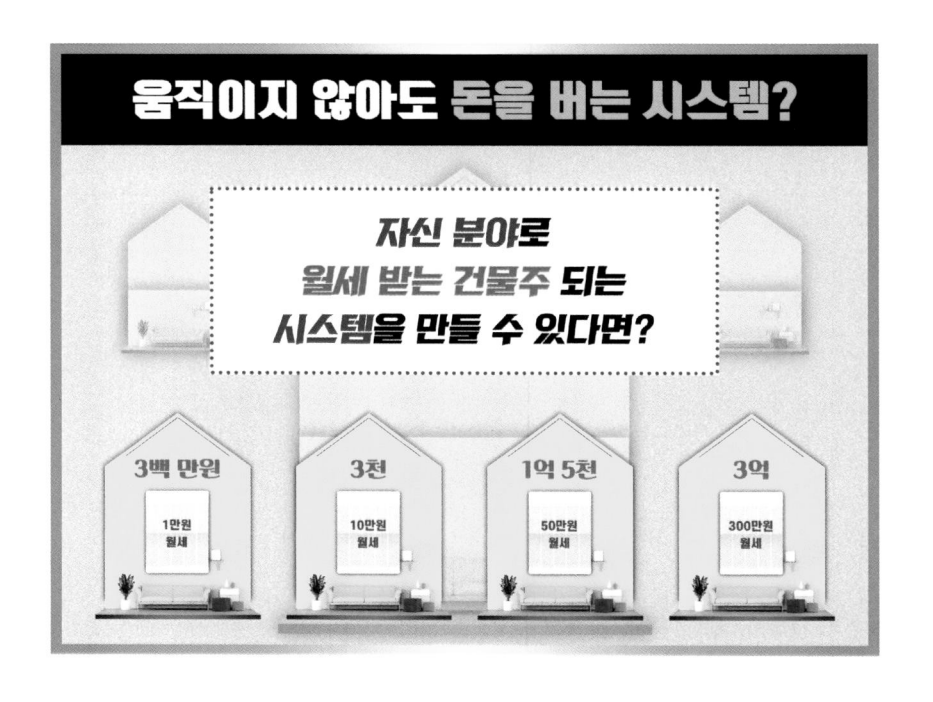

순간 이런 생각이 드는 사람도 있을 것이다.
"최소 매월 100이상은 나와야 그래도 쓸만한 시스템(건
물)이라고 말을 하죠. 지금 3고 시대에 10만 원? 1만
원? 솔직히 안 벌고 말죠."라는 말을 하며 표면적인 것
만으로 판단을 한다.

당연히 액수만 보면 매월 1만 원, 5만 원, 10만 원... 얼

마 되지 않는다. 단순하게 생각을 해보자. 한번 물어보겠다.

"당신은 노동을 하지 않았는데 매월 십 원 하나 통장에 들어오는 게 있는가? "
"당신은 노동을 하지 않았는데 매월 1만 원이 통장에 들어오는 시스템이 있는가?"

"없으면서 십 원을 무시하는가? 1만 원을 무시하는가? 무슨 자격으로 무시하는가? 그런 말을 할 자격이 있다고 생각하는가? 한 달에 1,000만 원씩 벌고 있으면서 그런 말을 하는가?"

오해하지 말고 들었으면 한다. 위와 같은 생각을 했던 사람들을 무시하는 것이 아니라 노동하지 않아도 벌 수 있는 시스템을 제대로 알지 못하는 사람들의 생각을 체크해 주는 것이다. 당연히 무시하는 의도로 말하진 않았을 것이고 3고 시대다 보니 현실적으로 말을 했을 거라 생각한다.

자신이 세상, 현실 기준에서 스펙, 돈, 인맥, 자산... 등이 없는 상황, 100세까지 노동을 해야 되는 답이 없는 상황에서 월세, 연금처럼 자동으로 1만 원이라도 나오는 시스템을 가지고 있다는 것이 엄청난 것임을 느끼지 못한다면 당신은 인생, 현실 돈 공부가 턱없이 부족한 상태고 당신의 미래 자산 주머니는 미래를 가보지 않아도 어둡다는 것이 보인다.

1만 원이 나오는 시스템의 시작이 100만 원, 300만 원, 500만 원, 1,000만 원이 나오는 시스템을 만들 수 있는 것이다. 가지고 있는 것이 아무것도 없는 상황에서 매월 100만 원 나오는 시스템을 누가 권유한다면 사기꾼일 확률이 1,000%다. 가진 게 많은 사람들이 사기당할 거 같은가? 아니다. 가진 것이 없는 사람들이 자신 주제에 맞지 않고 올 수 없는 정보, 권유가 오기에 판단력이 흐려져 사기당하는 것이다. 사기꾼들이 가장 많이 하는 말이 '무조건 돈 번다'라는 말이다. 정신 바짝 차려야 한다.

그 누구도 믿지 말고 의심해야 한다. 가족도 의심해라! 친구는 더 의심해라! 의심하고 또 의심해라!

2024년 대한민국 현실은 5명 중 1명이 사기꾼이고 3혹[유혹, 현혹, 화혹(화려함에 혹하다)]에 빠져 3명 중 1명중 한명이 사기 당한다. 대검찰청에 따르면 연간 136만 건 범죄 중 가장 많이 발생하는 범죄가 1위는 사기다. 수입 인증, 통장 인증하는 사람들 90%는 "믿음을 줘야 크게 한탕을 칠 수 있다."라는 심리가 있다. 수입 인증, 통장 인증하는 사람들이 다 사기꾼은 아니다. 하지만 단언컨대 사기꾼들은 수입 인증, 통장 인증을 한다는 것을 명심하자!

노벨상 받은 사람, 하버드 대학교 교수, 은퇴 전문가, 노후 전문가들 1,000명 이면 1,000명이 말하는 것이 최고의 은퇴 준비, 노후 준비는 100세까지 현역을 하는 것이다.

100세까지 현역이라는 말이 무슨 말인가?

100세까지 노동을 죽어라 하라는 것이 아니다. 나이에 맞는 일을 해야 한다는 것이다. 100세까지 돈을 벌수 있는 시스템을 만들어야 된다는 것이다.

움직여서 돈을 벌 수 있는 것은 한계가 있기에 움직이지 않아도 돈을 벌 수 있는 시스템을 만들어야 된다. 하나이가 들면 들수록 돈을 벌수 있는 일들이 극소수가 되어간다.

젊었을 때는 1,000가지 직업 중에 전문직 빼고는 90% 직업을 할 수 있었지만 나이가 들면 반대로 1,000가지 직업 중에 90%는 할 수 없는 것이 되고 극소수만 10% 직업을 유지 한다. 그것도 일반 사람들에게는 사짜 직업 외에는 더 극소수만 일을 할 것이다. 이런 현실이 앞으로 더 하면 더 했지 덜하지는 않는다. 이런 현실 속에서 지금까지 경험하고 쌓았던 경력으로 배운 지식을 연결해서 월세처럼 돈을 벌고 100세까지 현역을 유지할 수 있다면? 하겠는가? 무엇이든 보장은 없다. 가능성이 얼마만큼 높은가에 따라 달라지는 것이다.

방탄book기술력 시스템을 배우면 "자신 분야로 매월 1,000만 원을 벌수 있다?"라는 말을 하는 게 아니다.

방탄book기술력 시스템을 통해 자신 분야 삼성(진정성, 전문성, 신뢰성)을 높여 움직이지 않아도 노동하지 않아도 지속적인(100세)수입을 발생 시키고 100세까지 현역으로 살 수 있는 인생을 알려주는 시스템이다.

방탄book기술력 시스템이라는 도구를 가지고 어떻게 활용을 하느냐에 따라 달라지는 것이지 '무조건 돈 번다'가 아니다.

자신 인생, 자신 분야를 터닝포인트 해줄 방탄book기술력을 접목해서 나다운 시스템을 만들길 바란다.
시스템을 만들 수 없다면 만들어진 시스템 안으로 들어가면 된다.

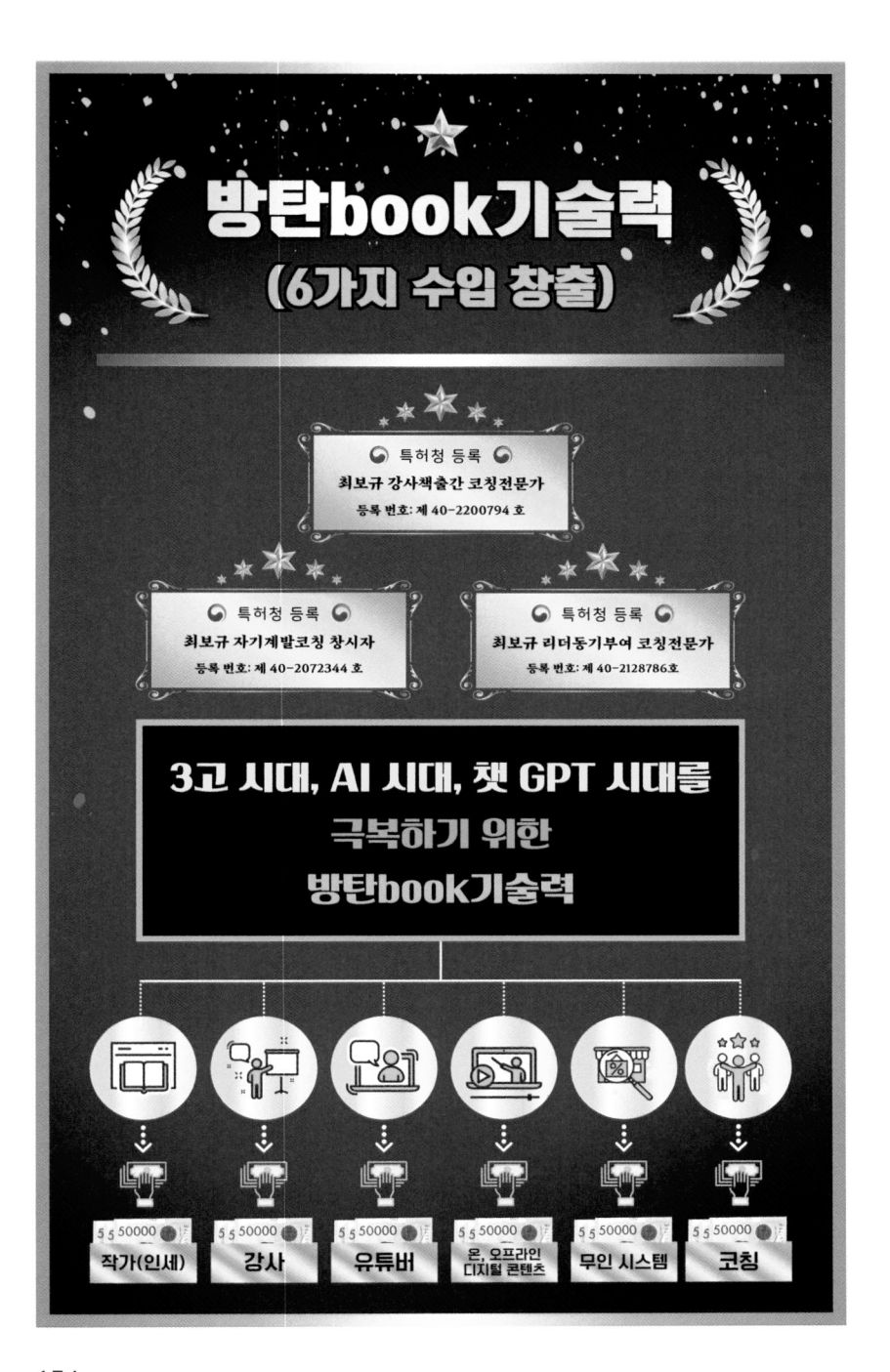

154

대한민국 99%가 책 쓰기, 출간하는 방법만
교육, 코칭 한다!
6가지 수입 창출 책 쓰기, 출간 기술력을
교육, 코칭 하는 곳은 방탄book출판사뿐이다.

방법을 알면 1권 출간하고 끝이지만
방탄book기술력을 알면
10권, 100권, 1.000권... 도 가능하다.

★ 책 쓰기, 책 출간 본질을 모르면 책 쓸 자격이 없고 시간, 돈 낭비만 한다!

인간이 하는 모든 것의 본질을 알아야만 노오력이 아니라 올바른 노력을 할 수 있다. 노력은 경험만 채우고 시간만 때우는 것이다. 지금 시대는 노력이 배신하는 시대다.

올바른 노력은 어제보다 0.1% 다르게, 변화, 나음, 성장하는 것이다.

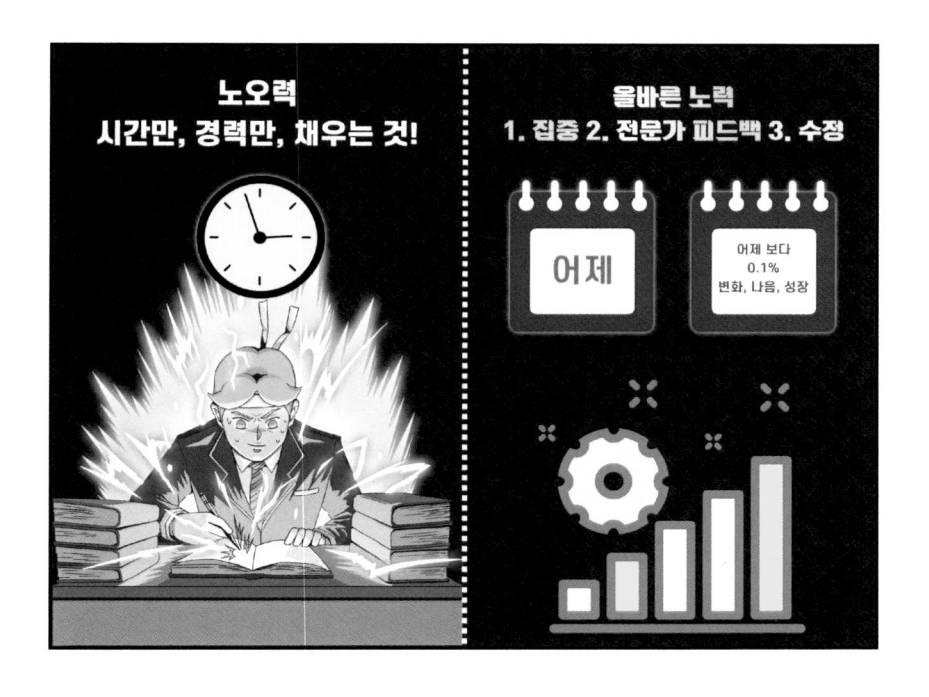

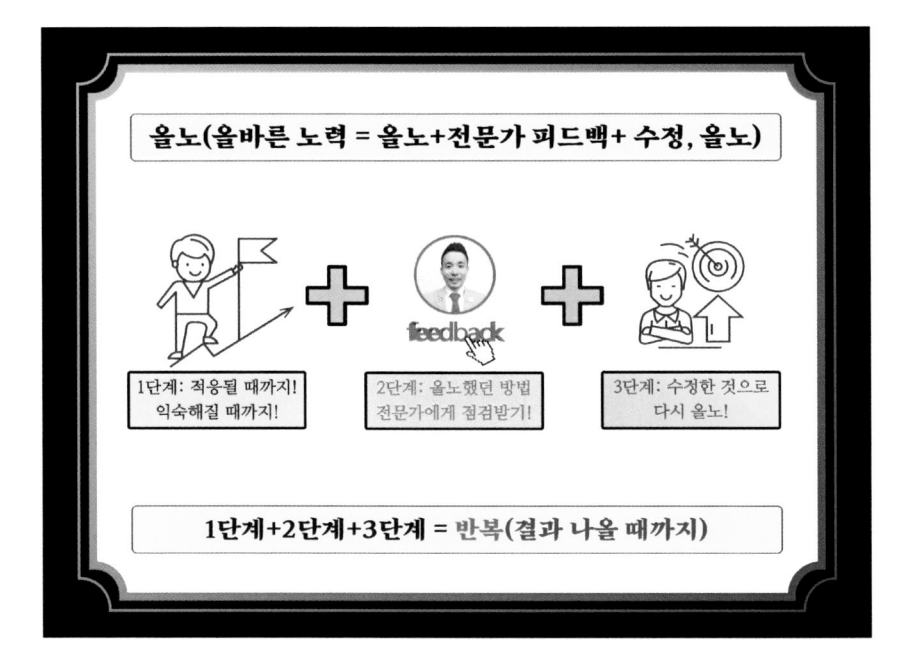

책 쓰기, 책 출간 본질을 알아야 노오력이 아닌 올바른 노력을 할 수 있다.

운동의 본질은 헬스, 운동의 기본기를 배우지 않는 사람이 좋은 헬스장으로 옮긴다고 헬스, 운동 습관이 만들어지는 것이 아니다.

직장의 본질은 월급 날짜만 기다리는 사람이 직장을 바꾼다고 일에 대한 의욕이 생기지 않는다.

사랑의 본질은 평상시에 사랑받을 행동을 안 하는 사람은 사랑하는 사람이 생겨도 사랑받을 수가 없다.

인간관계의 본질은 내가 좋은 사람이 되기 위해 학습,

연습, 훈련을 안 하면 좋은 사람이 생겨도 금방 떠나간
다.

자기계발, 동기부여 본질은 "어제 보다 0.1% 나은 사람
이 되자."라는 태도로 꾸준히 자기계발, 동기부여하지
않으면 시간, 돈 낭비를 한다.

리더십의 본질은 경력, 나이를 내세우면서 시대에 맞는
리더십으로 업데이트하지 않으면 리더십이 아닌 꼰대십
(리더병)이 나온다. 꼰대십(리더병)이 생기면 "위치가 사
람을 만드는 것이 아니라 위치가 사람을 망쳐버린다."

책 쓰기, 책 출간의 본질은 평상시 독서를 하지 않은 사
람은 책 가치, 내공, 값어치가 나오지 않는다. 독서와 책
가치, 내공, 값어치는 비례한다.

오로지 베스트셀러(돈)가 되기 위해 집착하는 책 쓰기,
출간이 아닌 자신을 알고 있는 가족, 친구, 지인들이 읽
었을 때 "유명한 책들 보다 읽었던 책 중에 베스트다."
라고 인정받는 책 쓰기, 책 출간을 해야 한다.

10가지

1 한번 출간한 책으로 <u>평생 활용하는 방법을</u> 알려주는 교육, 코칭

2 <u>로또 2등과 같은 기획출판</u>을 하기 위해서 출판기획서 제작 스트레스, 거절 메일을 확인 하는 스트레스, 370가지 스트레스... 등 <u>마음고생 덜 하고 책 출간할 수 있는</u> 책 쓰기 교육, 코칭

3 책 활용 수입 창출 시스템 교육을 검증 된 전문가에게 한 곳에서 <u>시간, 돈 낭비를 줄여주는</u> 책 쓰기 교육, 코칭

4 한번 코칭으로 <u>100년 a/s, 피드백, 관리해</u> <u>주는</u> 책 쓰기 교육, 코칭

5 책 출간 후 <u>자신 분야 삼성(진정성, 전문성, 신뢰성)</u> <u>을 높여 자신 분야 내공, 가치, 몸값</u>까지 올릴 수 있는 책 쓰기 교육, 코칭

6	출간한 책으로 강사가 되어 은퇴 후 제2의 직업을 할 수 있는 책 쓰기 교육, 코칭
7	책 출간 후 자신 분야 코칭 전문가가 되어 은퇴 후 제3의 직업까지도 할 수 있는 책 쓰기 교육, 코칭
8	책 출간 후 온라인 콘텐츠까지 제작을 해서 비수기 없는 책 쓰기 교육, 코칭
9	책 출간 후 디지털 콘텐츠까지 제작을 해서 월세, 연금성 수입까지 발생시킬 수 있는 책 쓰기 교육, 코칭
10	책 한 권 출간하고 끝나는 것이 아니라 100년 동안 책을 무한대로 출간 할 수 있는 책 쓰기, 책 출간 기술력을 교육, 코칭

방탄
book

책 쓰기, 책 출간 교육, 코칭은 누구나 한다.
6가지 수입 창출 책 쓰기, 책 출간
교육, 코칭은 방탄BOOK 창시자 뿐이다.

세계에서 20,000명이 바라는
**책 쓰기, 책 출간 교육, 코칭 10가지를
할 수 있는 곳은**

방탄book출판사 뿐이다!

최보규 방탄book기술력 코칭전문가

평균 희망 은퇴 73세, 현실 은퇴 나이 49세!
100세 시대 언제까지 몸(노동)으로만
일해서 돈을 벌 것인가?

세상, 현실 기준에서 스펙, 돈, 인맥, 자산 등이 없어서 100세까지 노동을 해야 되고 몸까지 아프면 더 답이 없는 상황! 젊을 때는 100가지 중 99가지를 할 수 있지만 나이 들면 100가지 중 99가지를 할 수 없다. 3고 시대, AI 시대, 챗 GPT 시대에 자신의 직업이 사라 질 수 있는 상황에서 어떻게 준비, 대비할 것인가?

방탄BOOK기술력
선택이 아닌 필수!

ONLY ONE

방탄
BOOK
기술력

한 분야 전문성으로 힘든 시대다. 이제는 포트폴리오 커리어 시대다. (포트폴리오 커리어: 한 분야 전문성 외 다수에 전문성이 있는 사람) 자신 경력을 왜 썩히고 있는가! 자신 경력을 활용해서 6가지 수입을 발생시킬 수 있는 방탄book기술력! 언제까지 몸(노동)으로 일할 것인가? 자신 경력이 일하게 하자! 자신 콘텐츠가 일하게 하자! 시스템이 일하게 하자!

★ ★ ★ ★ ★

직장은 자신 인생을 책임져 주지 않지만
방탄book기술력은 자신 인생을 책임져 준다.
직장은 자신을 배신하지만
방탄book기술력은 자신을 배신하지 않는다.

ONLY ONE

방탄
BOOK
기술력

★ 자신 분야 삼성(진정성, 전문성, 신뢰성)을 올리는 최고의 자기계발은 책 쓰기, 책 출간이다!

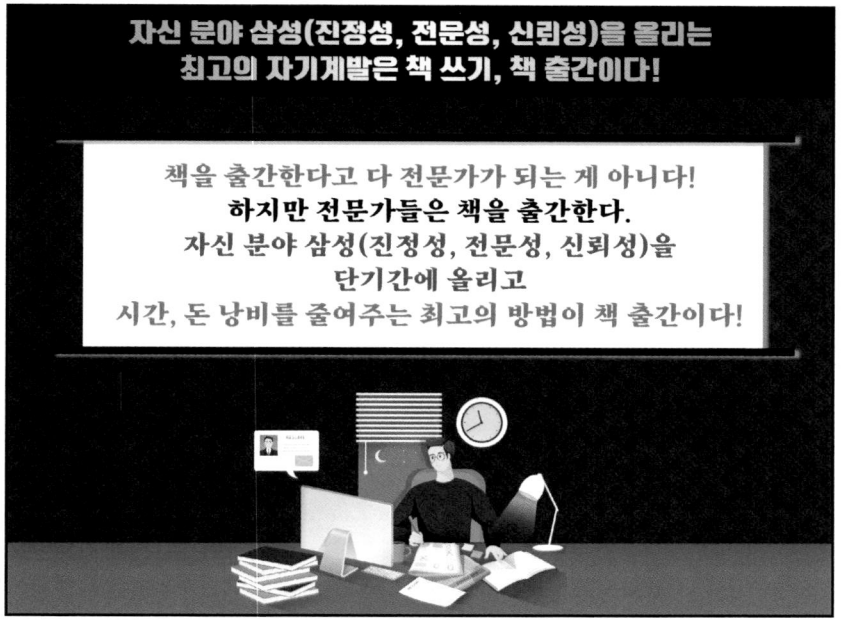

세상에는 두 가지 종류에 지식이 있다. "아는데요!" 설명을 못하는 지식과 설명을 할 수 있는 지식이 있다. 진짜 지식은 설명까지 할 수 있어야 한다.

설명에서 한 차원 더 높은 것은 누구나 알아볼 수 있게 정리를 해서 쓰는 것이고 책을 출간하면 진짜 전문가가 되는 것이다. 그래서 자신 분야 전문 책이 있는 사람과 자신 분야 전문 책이 없는 전문가는 개미와 코끼리 차이다.

진짜 전문가가 되고 싶다면 설명할 수 있는 건 당연한 것이고 나를 똑같이 닮은 인재를 복제를 할 수는 없겠지만 복제가 가능한 매뉴얼, 시스템을 만들어 책으로 출간한다면 진정한 자신 분야 전문가가 되는 것이고 자부심, 사명감이 생긴다.

자신 분야 삼성(진정성, 전문성, 신뢰성)을 올리는 최고의 자기계발은 책 쓰기, 책 출간이다. 경력은 스펙이 아니지만 책을 쓰면 강력한 스펙이 된다.

지금은 경력이 10년, 20년, 30년... 경력만 있는 사람을 전문가라 말하지 않는다. 그런 전문가들은 천지빼까리 (국어사전: 너무 많아서 그 수를 다 헤아릴 수 없을 때 쓰는 말)이다.

경력을 무시하는 게 아니다. 전문가의 본질을 말하는 것이다. 경력으로만 전문가라 말하는 시대는 끝났다. 지금 시대는 가짜 전문가가 너무 많기에 자신 분야 전문 책이 있어야 전문가라고 말을 할 수 있다.

경력만 있는 사람들 특징은 머리에만 노하우가 많다. 머리에 있는 노하우를 책으로 출간한다면 진짜 전문가가되는 것이다. 자신 분야를 정리를 해서 말만 하는 사람과 정리해서 책을 출간한 사람 중에 어떤 사람이 더 전

전문가라고 말을 하려면 증명할 수 있는 자료, 책이 있어야 한다. 전문 분야가 있다면 무조건 책을 써야 하고 책 출간을 해야 하는 건 아니다. 한번 생각해 보라! 전문 서적이 있는 전문가와 전문 서적이 없는 전문가를 봤을 때 어떤 사람을 진짜 전문가라고 인정하겠는가?

"이 전문가는 다른 전문가와 별 차이 없네."라고 느낌을 주면 전문가의 믿음, 신뢰, 비전을 느끼지 못한다. "이 전문가는 다른 전문가와 다르다"라는 것을 보여 줄 때 전문가의 믿음, 신뢰, 비전이 보이는 것이다.

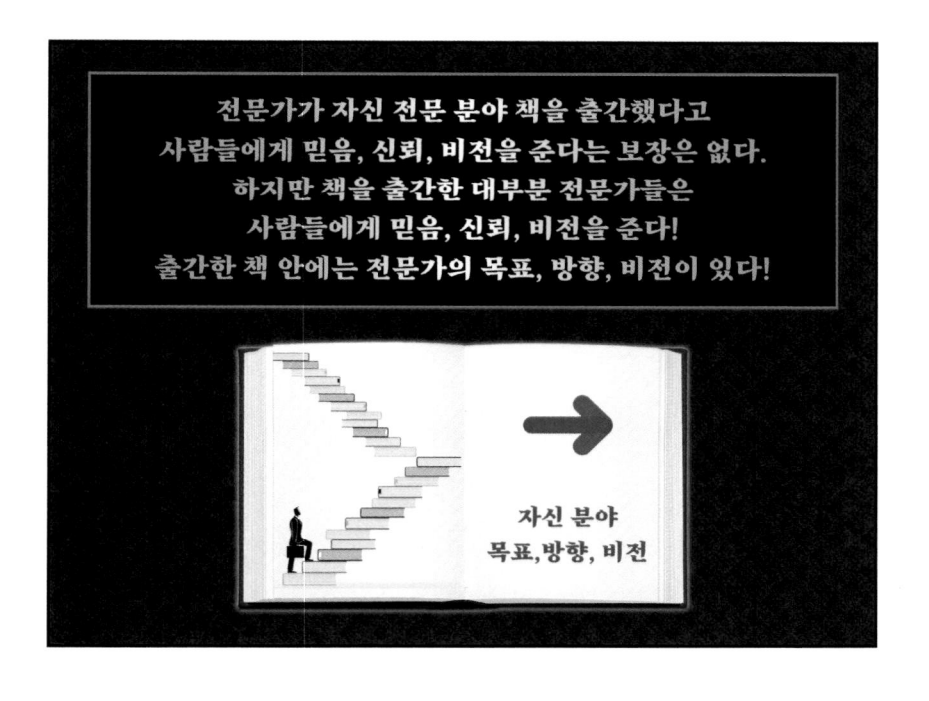

전문가가 자신 전문 분야 책을 출간했다고
사람들에게 믿음, 신뢰, 비전을 준다는 보장은 없다.
하지만 책을 출간한 대부분 전문가들은
사람들에게 믿음, 신뢰, 비전을 준다!
출간한 책 안에는 전문가의 목표, 방향, 비전이 있다!

자신 분야
목표, 방향, 비전

전문가도 같은 전문가가 아니다. 경력만 있는 전문가가 있는 반면 검증받은 전문 분야가 있는 전문가가 있다. 경력이 같은 전문가가 있다고 가정했을 때 스피치, 표정, 행동으로 어떤 전문가가 더 내공이 느껴지는지 알 수도 있지만 표면적으로 증명할 수 있는 스펙이 있어야만 대중들은 인정을 한다는 것이다.

지금 시대는 학위보다 더 인정받는 것이 자신 분야 전문 서적이다. 이제는 경력만 쌓으면 안 된다. 경력을 표면적으로 증명할 수 있는 강력한 플랫폼인 전문 서적을 출간해야 한다.

★ 자신 분야 전문 서적이 없는 전문가와 자신 분야 전문 서적이 있는 전문가 차이점

책 쓰기, 책 출간과 직접적으로 연결되어 있는 직업이 강사 직업이다. 그래서 전문서적이 없는 강사와 전문서적이 있는 강사를 비교해 주겠다. 자신 분야와 접목을 해서 본다면 도움이 될 것이다.

강사 경력 15년 차인 A라는 강사는 강의 경력 15년이 전부다. 표면적으로 보여 줄 수 있는 스펙은 강의했던 업체명 밖에 없다. 그 강사를 무시하는 게 아니다. 현실을 직시해 보자는 것이다.

강사 경력 15년 차인 B라는 강사는 강사를 양성하는 강사 백과사전 2권 출간 외 자기계발 책 100권을 출간했다.

어떤 강사가 더 전문가라고 느껴지는가? 누구한테 물어보더라도 자신 분야 전문 책이 있는 사람을 전문가라고 할 것이다.

지금 시대는 석사, 박사 학위만큼 인정해 주는 것이 자신 분야 전문 분야 책이다. 책을 출간한다고 전문가가

되진 않는다. 하지만 전문가들은 자신 분야 책이 3~4권이 있다. 그래서 자신 분야 전문가라고 말을 하려면 자신 분야 책을 쓰고 출간하기 위해서 집중해야 한다.

경력은 스펙이 아니다!
경력만 있는 사람을 전문가라고 하지 않는다!

강사 경력 15년 차
전문 분야가 있지만
표면적으로
증명할 수 있는 것이 없다!

코칭 경력 15년 차
전문 분야 책 100권 출간
★ 특허청 등록 ★
제40-2072344호
최보규 자기계발코칭 창시자
제40-2128786호
최보규 리더동기부여 코칭전문가

OOO전문가

강사 경력 15년 차

명품 자기계발 책!

경력만 있다.

대한민국 99%가 책 쓰기, 출간하는 방법만
교육, 코칭 한다!
6가지 수입 창출 책 쓰기, 출간 기술력을
교육, 코칭 하는 곳은 **방탄book출판사뿐이다.**

방법을 알면 1권 출간하고 끝이지만
방탄book기술력을 알면
10권, 100권, 1.000권... 도 가능하다.

★ 책 쓰기 목표, 방향이 없으면 절대로 순풍이 불지 않는다!

10년 전보다 책 쓰는 환경이 너무나도 좋아졌다. 일반인들이 봤을 때는 책 쓰는 문턱이 너무나도 높아 보이지만 필자가 100권을 출간하면서 알게 된 것은 문턱이 그렇게 높지 않다는 것을 알게 되었다. 속된 말로 강사는 개나, 소나, 고양이나 하듯 책 출간도 개나, 소나, 닭이나 한다. "이 정도 내용의 책은 나도 쓰겠다. 책 값어치를 못한다."라고 느끼는 책들이 많아졌다.

오해하지 말고 들었으면 한다! 책 출간을 한 권도 안 한 사람들, 책을 대충 쓴 사람들을 무시하는 게 아니다. 냉정하게 현실을 직시해 보자는 것이고 책 쓰기, 책 출간 환경을 알아야만 자신 책을 제대로 쓸 수가 있는 것이다. 어떤 분야든 마찬가지이다. 자신이 하고 있는 분야 환경, 흐름, 트랜드를 알아야만 대처를 할 수 있고 변화, 준비를 해서 살아남을 수 있는 것이다.

보통 사람이 트랜드를 모르면 큰 문제가 되지 않지만
전문가가 자신 분야 트랜드를 모르면
큰 문제인 짝퉁 취급을 받는다.

2024 2025 2026
2027 2028 2029
2030 2031 2032

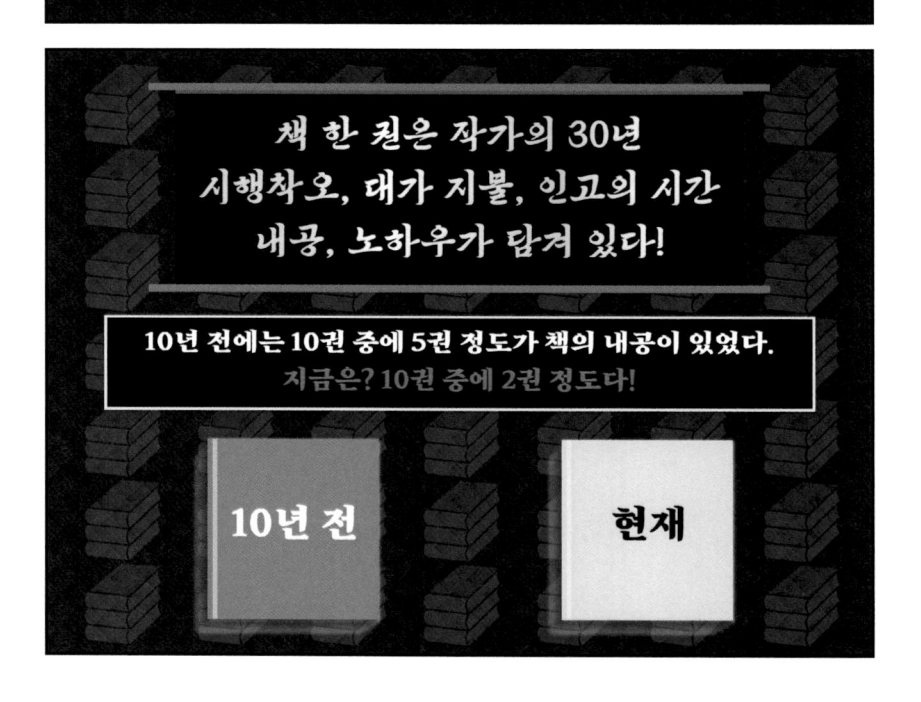

책 한 권은 작가의 30년
시행착오, 대가 지불, 인고의 시간
내공, 노하우가 담겨 있다!

10년 전에는 10권 중에 5권 정도가 책의 내공이 있었다.
지금은? 10권 중에 2권 정도다!

10년 전

현재

"한 권의 책은 그 사람의 30년 시행착오, 대가 지불, 인고의 시간, 내공이 들어있어서 한 권으로 배우는 것이다."라는 말을 들어봤을 것이다.

10년 전에는 이 말에 맞게 10권 중에 5권 정도는 내공이 담겨 있었다. 지금은 10권 중에 1권~2권 정도만 내공이 담겨 있다.

왜 그럴까?
대충 책 쓰기 교육, 코칭 하는 사람이 많아지다 보니 대충 쓰는 사람이 많아졌다는 것이다.

책 출간과 책 쓰기가 자신 분야 자기계발 하는데 최고지만 버킷리스트여서 책을 쓰고 싶다? 팔 목적이 아니다, 돈 벌 목적이 아니다, 소장하기 위해서 책 쓰고 싶다? 내 이름 그냥 석 자 남기고 싶어서 책 쓰고 싶다? 이런 목표로 책을 쓰고 출간하는 사람들이 많다. 이런 사람들을 잘못됐다고 말하는 게 아니다. 오해하지 말고 듣길 바란다!

20,000명 심리 상담, 코칭 하면서 알게 된 것은 대부분 사람들이 대책 없이, 계획 없이, 의미 없이 책을 써서 100%, 200%, 300% 후회를 한다는 것이다. 후회 안 하는 사람이 없는 건 아니지만 대부분 사람들은 처음에는 가벼운 마음으로 책을 출간했는데 출간한 책으로 6가지 수입을 발생시킬 수 있는 방법(방탄book기술력)을 코칭 받고 나서는 땅을 치고 후회를 한다는 것이다.

필자에게 코칭 받는 사람들 100%가 이런 말을 했다.
"다 필요 없이 책 한 권 출간하면 좋겠다. 이런 마음으로 책을 쓰기 위해 검증 안 된 전문가에게 교육, 코칭을 받고 책을 출간했는데... 책 출간 3개월 후 라면 받침대 되어버리는 상황... 처음부터 6가지 수입을 발생시킬 수 있는 방탄book기술력을 교육, 코칭 받았다면 돈, 시간 낭비를 줄일 수 있었을 텐데 뒤늦게 알게 돼서 너무 후회가 됩니다."라는 하소연을 하는 분들에게 늘 하는 말이 있다.

"안 좋은 경험을 했기에 6가지 수입을 발생시킬 수 있는 방법(방탄book기술력)이 좋다는 것을 뒤늦게나마 깨달을 수 있었던 것입니다. '더 늦기 전에 지금이라도 만나서 다행이다.'라고 생각하시면 됩니다."

책은 누구나 쓸 수 있지만 아무나 쓸 수 없다는 말이 있다. 아무나 쓸 수 없다는 말이 무슨 말일까?

어떤 의미부여, 목표, 방향으로 쓰느냐에 따라서 아무나 '쓰냐! 아무나 못 쓰냐!' 로 나누어진다.

인생도 어떤 의미, 목표, 방향에 따라 삶의 질이 완전히 달라지듯이 책 쓰기도 마찬가지라는 것이다.

의미부여, 목표, 방향 없이 산다고 삶의 질이 안 좋아지는 건 아니다. 단언컨대 삶의 질, 인생의 질, 행복의 질이 좋은 사람들 90%는 인생 의미, 목표, 방향이 있다는 것이다. 책 쓰기도 의미부여, 목표, 방향이 중요하다고 강조하는 것이다. 특히 전문 분야가 있는 전문가의 책 쓰기, 책 출간 자기계발은 의미부여, 목표, 방향이 분명해야 한다. 전문가가 쓴 책을 보고 대중들은 믿음, 신뢰, 비전, 방향을 느끼기 때문이다.

목표, 방향이 그 무엇보다 중요하다고 알려주는 하버드 대학교에서 연구한 스토리텔링이다.

얼마나 오래 할 거니?
심리학자 맥퍼슨은 악기를 연습 중인 어린이 157명을 추적해 보았다. 9개월쯤 후부터 아이들의 실력이 크게 벌어졌다.
"거참 이상하네, 연습량도 똑같고 다른 조건도 다 비슷한데 도대체 왜 차이가 벌어지는 걸까?"
그는 문득 연습을 시작하기 전 아이들에게 던졌던 질문을 떠올렸다.
"넌 음악을 얼마나 오래 할 거니?"
아이들의 대답은 크게 세 가지였다.
"전 1년만 하다가 그만둘 거예요."
"전 고등학교 졸업할 때까지만 할 거예요."
"전 평생 하며 살 거예요"
아이들의 실력을 비교해 보고 깜짝 놀랐다. 평생 연주할 거라는 아이들의 수준이 1년만 하고 그만둘 거라는 아이들보다 훨씬 높았기 때문이었다.

똑같은 기간 동안 연습을 했는데도 말이다.

《왓칭》

목표, 방향, 의미부여가 없이 잘하는 사람도 있긴 있다. 하지만 그 사람들은 극히 0.1%로 극히 드물다는 것이다. 자신은 목표, 방향, 의미부여 없이도 가능한 사람인지 있어야 되는 사람인지는 시도를 해보고 나다운 방식을 만들면 된다. 하지만 대부분 실력이 향상되고 결과를 내는 사람들 특징은 목표, 방향, 의미부여가 처음부터 잘 되었다는 것이다.

★ 취미나 자신의 만족으로 끝나는 책 쓰기, 책 출간이 아닌 자신 분야를 무한으로 연결시킬 수 있는 온라인 건물주 되는 방탄 책 쓰기! (방탄book기술력)

책 쓰기, 책 출간을 처음부터 "그냥 그냥 내 이름 석 자 남기는 거야! 버킷리스트여서 대충 한 권 출간하고 말 거예요! 그냥 소장하기 위해서 쓰는 거예요! 베스트셀러 필요 없어요! 그냥 내 만족이에요!" 이런 의도로 책을 쓴다는 게 잘못됐다고 말하는 게 아니다. 다시 한 번 말 하지만 오해하지 말고 들었으면 한다!

그런 마음으로 책 쓴 사람들이 책 출간을 하고 나서 제 2수입, 제3수입을 연결하려고 코칭을 받은 후에 후회를 하기 때문에 강조하면서 말을 하는 것이다.

대충 자기만족으로 그냥 썼는데 책 내공, 책 가치, 책이 주는 메시지가 있겠는가? 누가 보겠는가? 보더라도 책 값어치를 못해서 욕한다는 것이다. 그래서 어떤 일을 시 작할 때, 책을 쓸 때, 책을 출간하고 나서 자신 분야와 연결할 수 있는 고리를 생각하고 책 쓰기, 책 출간을 해 야 한다.

인고의 시간을 거쳐 쌓은 소중한 자신 분야 경력을
왜? 썩히고 있는가?
쌓은 경력으로 온라인 건물주가 될 수 있다!

자신 분야를 방탄book 연결 수입 창출!

자신 분야

방탄자기계발
몸값 상승

책 출간
(종이책, PDF)
(인세 유산)

멘토가 150년
A/S, 관리

디지털콘텐츠
수입(100년)

방탄
book

불특정 다수와
비즈니스 연결

온라인콘텐츠
수입(100년)

코칭 수입
(100년)

온라인 건물주
(월세, 연금성)

재능 마켓
수입(100년)

누군가는 운전면허증을 취득하려는 의미부여, 목표, 방향이 남들 다 운전면허증이 있으니 별 의미부여, 목표, 방향 없이 운전면허증을 취득하려고 한다.

누군가는 운전면허증을 취득하려는 의미부여, 목표, 방향이 가족을 부양하기 위해서 직업을 하기 위해서 먹고 살기 위해서 의미부여, 목표, 방향 설정 후 간절하게 취득하려고 하는 사람도 있다.

1차원적으로 단순하게 보면 어떤 사람이 운전면허증을 대하는 태도가 좋을까? 누구에게 물어보더라도 후자일 것이다.

그 어떤 것이든 시작할 때 의미부여, 목표, 방향이 있느냐, 없느냐에 따라서 태도가 580도 달라진다.

"시작하고 생각해라! 행동하고 의미부여, 목표, 방향 만들어라!" 이 말을 들으면 어떤가? 의미부여, 목표, 방향이 중요한 게 아니라 일단 시작하는 게 중요한 거구나? 이렇게 느껴지는가?

의미부여, 목표, 방향을 0,1%도 생각 안 하고 일단 시작해야 되는 상황이 있고 의미부여, 목표, 방향을 30% 정도 준비해서 시작해야 되는 상황이 있는 것이다. 책 쓰기는 특히 30% 의미부여, 목표, 방향을 설정하고 시작해야 한다.

운전면허증을 취득하기 위해서 독학을 하거나 운전면허 학원에 등록한다. 필기를 먼저 합격해야 되기 때문에 운전면허 문제집을 먼저 산다. 한마디로 운전면허증을 따려면 가장 먼저 필기시험공부를 해야 하듯이 책 쓰기에 첫 번째로 해야 할 것은 대한민국 5가지 책 출판 개념의 장, 단점을 알고 전략적으로 책을 써야 한다.

★ 기획출판, 공동 기획출판, 자비 출판, 대필 출판, 독립(개인)출판 장, 단점을 모르면 책 쓸 자격이 없다!

기획출판, 공동 기획출판, 자비 출판, 대필 출판, 독립(개인)출판의 원고, 기간, 인세, 비용, 출판부수, 장단점을 파악해야만 자신 책 쓰기, 책 출간 목표, 방향이 잡혀서 책 쓰기, 책 출간에 날개를 달게 된다.

세부사항	기획출판	공동 기획출판	자비출판	대필출판	독립(개인)출판
대한민국 5가지 책 출판 개념의 장, 단점을 알고 전략적으로 책을 써야 한다.					
원고	?	?	?	?	?
기간	?	?	?	?	?
인세	?	?	?	?	?
비용	?	?	?	?	?
출판부수	?	?	?	?	?
장단점	???	???	???	???	???

표를 보면 이런 생각이 들 것이다.

"왜 표가 빈칸이지? 5가지 출판 개념이 중요하다고 하면서 왜 알려주지 않는 거지? 자신 노하우라고 숨기는 건가?"라는 의문점이 들것이다.

20,000명 심리 상담, 코칭 하면서 알게 된 것은 표만 보고 혼자 판단해서 오해하는 사람들이 너무 많았기에 오픈하고 싶어도 오픈을 안 하는 것이다. 5가지 출판 장단점을 설명하는 데 기본 1시간이 필요한데 설명은 듣지 않고 1분~3분밖에 걸리지 않는 비교한 표만 보게 되면 수박 겉핥기 식 밖에 안 되는 것이다. 어설프게 배우

면 더 헷갈리기 때문에 배우지 않는 게 낫다는 것이다. 필자의 방탄책쓰기 사관학교에서는 책 쓰기, 책 출간 코칭만 하는 것이 아니다. 코칭 받은 사람이 누군가를 코칭을 할 수 있는 자격 조건이 생길 때까지 코칭을 하기 때문이다. 그래서 코칭 받을 때 제대로 배워야만 오해 소지 없이 책 쓰기, 책 출간을 잘 할 수 있고 자신이 다시 누군가를 책 쓰기, 책 출간 코칭을 할 때 제대로 알려 줄 수 있기 때문이다.

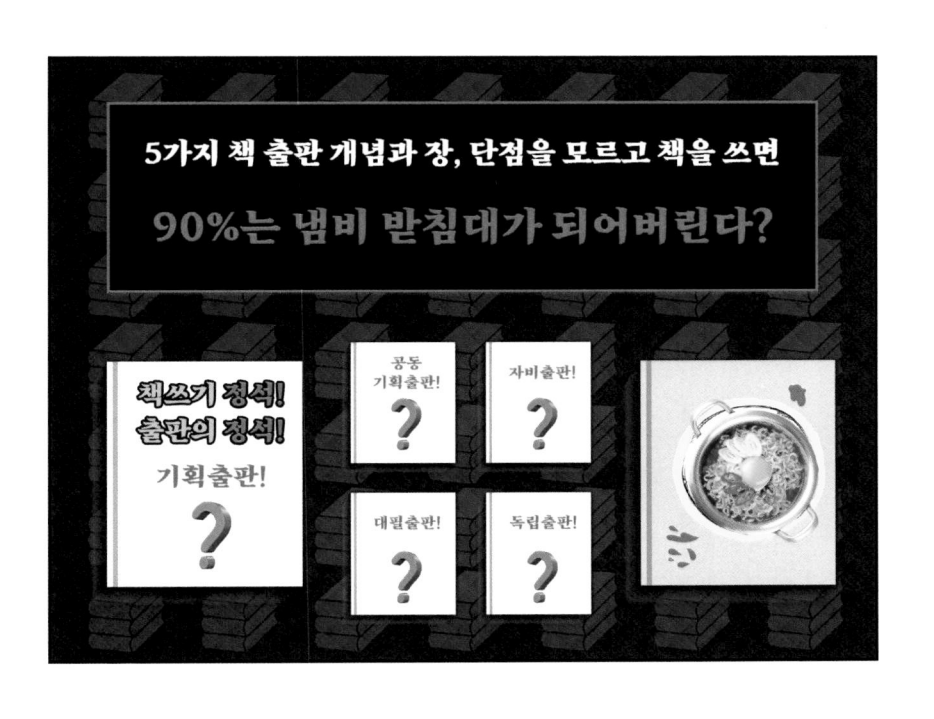

그런데 안타깝게도 시중에 나온 책 쓰기 책(200권 읽음), 책 쓰기 영상(500개 시청)을 보면서 알게 된 것은 책 쓰기 교육, 코칭을 거꾸로 알려주니 거꾸로 하고 있는 사람들이 대부분이다.

운전면허증에서 필기시험을 통과해야 실기 시험을 볼 수 있는데 실기 시험에만 집착하게 만든다. 인고의 시간을 거쳐 나온 소중한 책들이 누군가에 냄비 받침대가 되어 라면 국물이 묻어서 쓰레기 취급받는 책이 많다. 안타깝게도 90%의 책들이 책 출간 후 3개월 지나면 냄비 받침대가 되어간다.

"그냥 그냥 대충 이름 석 자 남겨야겠다." 그냥 대충 쓰면 정성 들여 쓴 책이 결국 냄비 받침대가 되어버린다는 것을 명심하자!

책 쓰기 의미부여, 목표, 방향을 제대로 설정하고 전략적으로 출간을 한다면 자신 분야 삼성(진정성, 전문성, 신뢰성)을 올리고 돈을 벌 수 있는 콘텐츠까지 연결시킬 수 있다. 그러면 자신의 인생뿐만 아니라 많은 사람들에게 라면 받침대가 아닌 인생의 받침대, 디딤돌이 되어줄 것이다.

책 대충 쓰면
라면 냄비
받침대가 된다!

인생
받침대, 디딤돌이
되어 줄 수 있는
책 쓰기, 책 출간

자신 분야 스펙, 내공, 가치, 값어치

카페에서 냅킨에 그린 그림이 1억?

카페에 피카소가 앉아 있었습니다. 한 손님이 다가와 종이 냅킨 위에 그림을 그려 달라고 부탁했습니다. 피카소는 상냥하게 고개를 끄덕이곤 빠르게 스케치를 끝냈습니다. 냅킨을 건네며 1억 원을 요구했습니다.
손님이 깜짝 놀라며 말했습니다. 어떻게 그런 거액을 요구할 수 있나요? 그림을 그리는 데 1분밖에 걸리지 않았잖아요. 이에 피카소가 답했습니다.

아니요. 40년이 걸렸습니다. 냅킨의 그림에는 피카소가 40여 년 동안 쌓아온 노력, 고통, 열정, 명성이 담겨 있었습니다. 피카소는 자신이 평생을 바쳐서 해온 일의 가치를 스스로 낮게 평가하지 않았습니다.

《확신》

193

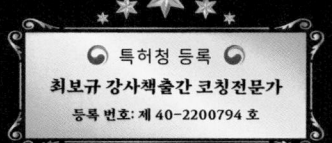

★★★★★ 차별이 아닌 초월 시스템 ★★★★★

타사와 비교불가 초월 혜택!
자신 분야 온라인 건물주가 되어 100년 수입 창출!

이코노미 PT

기본 5H : 500,000원

CHECK POINT

- ☑ 기본 1회(1일=5H)
- ☑ 6가지 수입 창출 시스템 매뉴얼 설명
- ☑ 150년 A/S

★★★★★ **차별이 아닌 초월 혜택** ★★★★★

 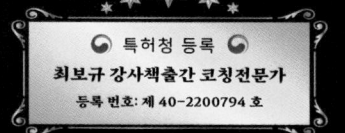 

Google 자기계발아마존　　▶YouTube 방탄자기계발　　NAVER 방탄book기술력　　NAVER　　최보규

이코노미 PT

기본 5H : 500,000원

☑ 150년 A/S (세계 최초)

☑ 마스터한 분야 자격증 1종 취득

☑ 방탄자기계발사관학교 강사 위촉

☑ 방탄자기계발사관학교 마스터 위촉

☑ 비지니스 PT 10% 할인
(10만원 상당)

☑ 퍼스트클래스 PT 10% 할인
(30만원 상당)

☑ 마스터한 분야 실전 2시간 강의
교안 제공. (강사료 200만원 상당)

★★★★★ 차별이 아닌 초월 혜택 ★★★★★

비지니스 PT

기본 10H : 1,000,000원

- ☑ 150년 A/S, 피드백
- ☑ 마스터한 분야 자격증 1종 취득
- ☑ 방탄자기계발사관학교 전임 강사 위촉
- ☑ 방탄자기계발사관학교 전임 마스터 위촉
- ☑ 퍼스트클래스 PT 10% 할인
  (30만원 상당)
- ☑ 강사 맞춤 트레이닝 비대면 1회 제공
  (50만원 상당)
- ☑ 마스터한 분야 실전 2시간 강의 교안
  제공, 1:1 맞춤 교안 설명
  (강사료 200만원 / 1:1 맞춤 100만원 상당)

특허청 등록
최보규 강사책출간 코칭전문가
등록 번호: 제 40-2200794 호

★★★★★ **차별이 아닌 초월 시스템** ★★★★★

타사와 비교불가 초월 혜택!
자신 분야 온라인 건물주가 되어 100년 수입 창출!

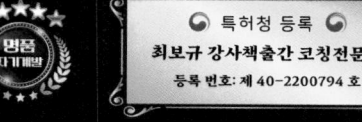  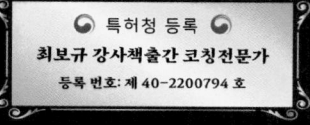 

퍼스트클래스 *PT*

기본 15H : 3,000,000원~

CHECK POINT

☑ 기본 1회(15H) / (2회 ~ 5회 선택 사항)

☑ 6가지 수입 창출 **자동 시스템 구축**

☑ 150년 A/S, 피드백, VIP맞춤 관리

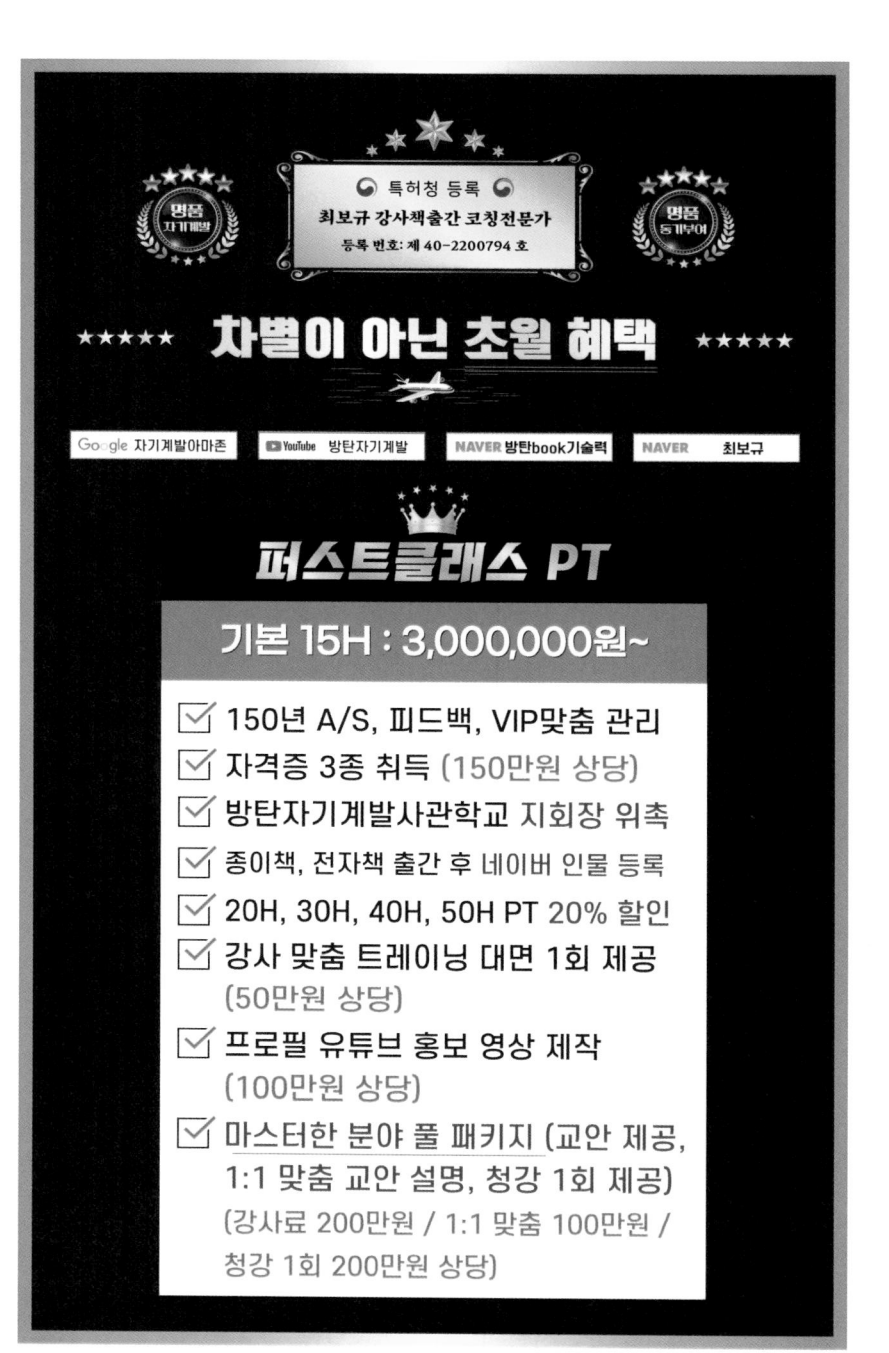

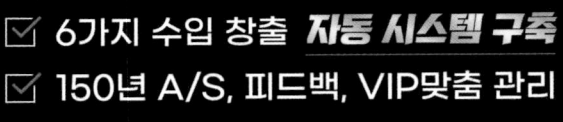
200

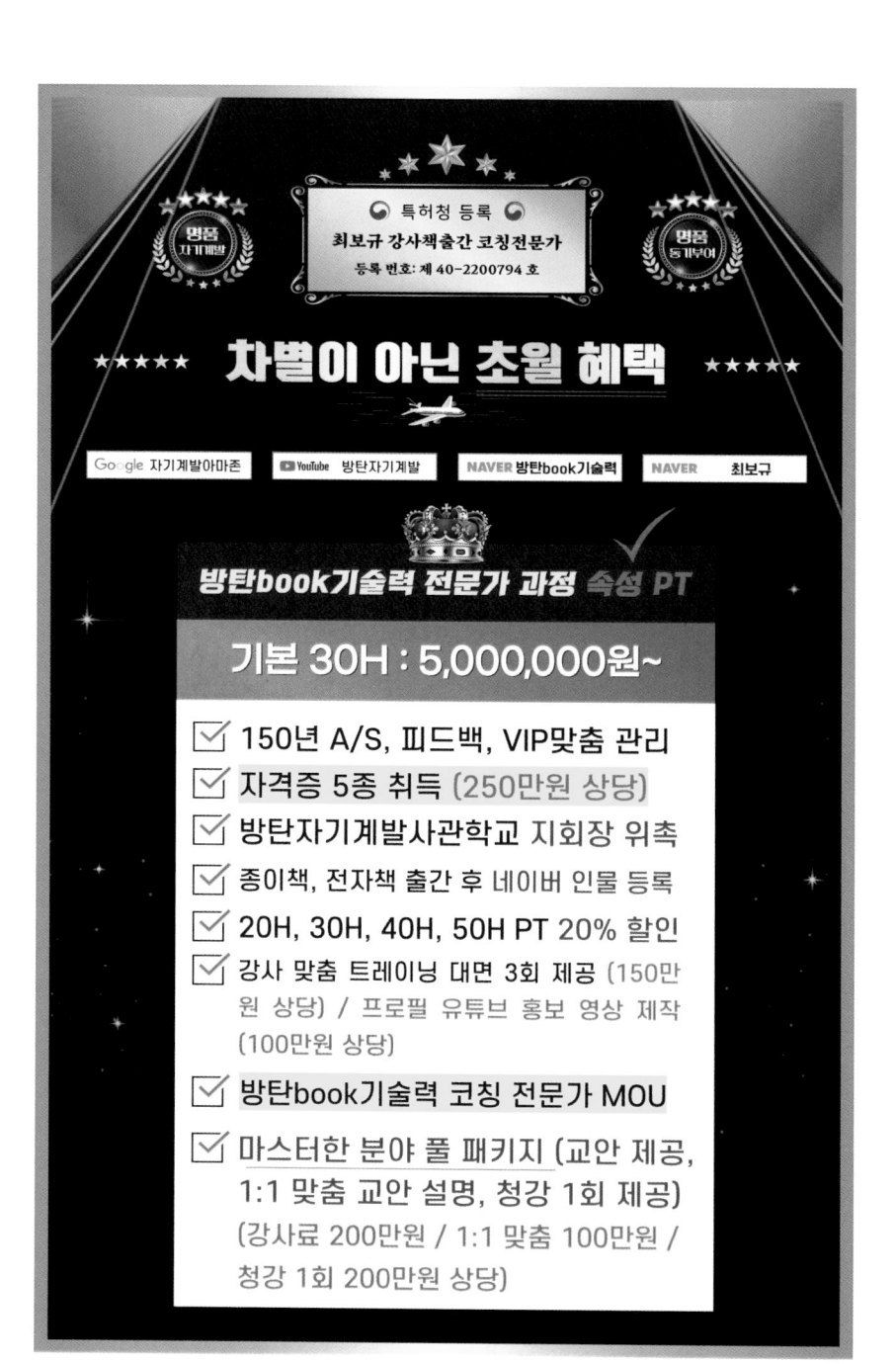

특허청 등록
최보규 강사책간 코칭전문가
등록 번호: 제 40-2200794 호

차별이 아닌 초월 혜택

Google 자기계발아마존 ▶YouTube 방탄자기계발 NAVER 방탄book기술력 NAVER 최보규

방탄book기술력 전문가 과정 속성 PT

기본 30H : 5,000,000원~

- ☑ 150년 A/S, 피드백, VIP맞춤 관리
- ☑ 자격증 5종 취득 (250만원 상당)
- ☑ 방탄자기계발사관학교 지회장 위촉
- ☑ 종이책, 전자책 출간 후 네이버 인물 등록
- ☑ 20H, 30H, 40H, 50H PT 20% 할인
- ☑ 강사 맞춤 트레이닝 대면 3회 제공 (150만 원 상당) / 프로필 유튜브 홍보 영상 제작 (100만원 상당)
- ☑ 방탄book기술력 코칭 전문가 MOU
- ☑ 마스터한 분야 풀 패키지 (교안 제공, 1:1 맞춤 교안 설명, 청강 1회 제공) (강사료 200만원 / 1:1 맞춤 100만원 / 청강 1회 200만원 상당)

202

특허청 등록
최보규 강사책출간 코칭전문가
등록 번호: 제 40-2200794 호

★★★★★ **차별이 아닌 초월 커리큘럼** ★★★★★

| Google 자기계발아마존 | ▶️YouTube 방탄자기계발 | NAVER 방탄book기술력 | NAVER 최보규 |

자신 분야

| 음값 상승 검증된 전문가 | 디지털콘텐츠 (월세) | 온라인콘텐츠 (연금성) | 자신 분야 코칭, 컨설팅 | 책(인세) | 책 출판 기술 | 강사 |

CLASS	내용
class 1	자신 분야 연결 6가지 수입 창출 기술력 컨설팅
class 2	자신 분야 삼성(진정성, 전문성, 신뢰성) 향상 책 쓰기, 책 출간 기술력 PT
class 3	자신 전문 분야로 제2수입 창출 기술력 PT
class 4	자신 전문 분야로 제3수입 창출 기술력 PT
class 5	온라인, 디지털 콘텐츠 기획, 제작 기술력 PT (4,5,6 수입 / 100년 지속적인 수입 창출 PT)

★ 책 내공, 책 값어치, 책 가치는 독서와 비례한다!

평균적으로 저자는 독자가 자신의 책을 읽고 이런 감동을 받길 바랄 것이다. "우와! 책 내공이 느껴진다. 책 값어치를 하는 책이다. 뻔한 내용, 누구나 아는 내용이 아니다. 어떻게 이런 생각을 할 수 있었을까? 작가의 인생 내공, 자신 분야 전문성이 느껴지는 책이다. 책 값 15,000원 주고 샀는데 1억 5,000만원 가치를 느끼게 하는 책이다. 베스트셀러 책은 아니지만 지금까지 1,000권 본 책 중에 베스트1이다." 자신 분야 책 내공, 책 값어치, 책 가치를 올리기 위해서는 가장 먼저 해야 할 것은 독서다. 독서가 자신 전문 분야 내공, 값어치, 가치를 높여 주고 자신 분야 책 쓰기 내공, 값어치, 가치를 높여 준다.

독서가 왜 중요한지를 알려 주는 스토리텔링이다. 지구상에 성공한 리더, 가장 돈 많은 리더들이 100명이라면 99명은 독서를 한다.

3배나 더 빨리 배우고 3배나 부자가 될 수 있다니 이게 무슨 사이비 같은 소리야 하기겠지만!
이 방법을 배우기 위해 일론 머스크, 빌 게이츠, 버락 오바마, 오프라 윈프리 등이 단 한 사람을 찾아갔다면! 믿으시겠습니까?

우리는 정보의 바다를 넘어 정보의 홍수 폭풍 속에서 살아갑니다.

특히 업무를 위해서 나 자기 개발을 위해 무언가를 '읽어야' 할 일이 정말 많죠. 다 읽을 수 있는 여유가 있다면 좋겠지만 바쁜 일상을 살다 보면 시간이 부족해 책에는 먼지만 쌓여가거나, 침대 맡에 몇 달씩 책이 방치되는 일이 생기고 합니다.

그런데 우리가 책을 읽는 속도를 2배, 3배 향상시킬 수 있다면 어떨까요? 지식을 더욱 빠른 속도로 배울 수 있고 일에 필요한 노하우 습득 속도를 높여 업무 효율을 극대화할 수 있을 것입니다.

개인 사업을 하거나 영상 제작, 글쓰기를 하더라도 필요한 정보를 탐색하는 속도가 3배 빨라진다면 그 경제적 효과도 3배라고 할 수 있겠죠.

더 강조하지 않더라도, '빨리 읽기'의 유익은 다들 쉽게 상상하실 수 있으실 겁니다.

3배나 더 빨리 배우고 3배나 부자가 될 수 있다니 '이게 무슨 사이비 소리야?' 하시겠지만 이 방법을 배우기 위해 일론 머스크, 빌 게이츠, 버락 오바마, 오프라 윈프리 등이 단 한 사람을 찾아갔다면? 믿으시겠습니까?

우리 학습 속도를 2~3배 향상시켜주는 방법, 지금부터 시작합니다.

짐 퀵은 포브스 선정 2021년 올해 책임 한국어명 '마지막 몰입'의 저자인 베스트셀러 작가이자, 강사 브레인코치입니다.

'기억력 향상', '두뇌 건강', '가속 학습' 등의 분야를 전문으로 하는 뇌 전문가죠. 그런데 흥미로운 점은, 이런 직퀵이 어릴 적 사고로 뇌를 크게 다쳤다는 것입니다.

"소방관들은 제겐 영웅이었죠. 그래서 꼭 그들이 보고 싶었습니다. 창가로 의자를 가져가서 위에 올라갔죠. 간신히 소방관들을 볼 수 있었고, 정말 기뻤습니다. 제가 인생에 없던 기쁨을 맛보고 있던 그 순간 누군가 제 의자를 잡았고, 저는 그게 누군지 보기 위해 뒤로 돌았습니다. 그 순간 저는 머리부터 떨어지며 라디에이터에 머리를 부딪쳤죠.

끊임없이 피가 흘러 사방 군데로 퍼졌습니다. 그 사고 이후로 부모님은 제가 이전과 같지 않다고 하셨어요.

더 큰 문제는 제가 그때 영어를 읽을 수도 없었다는 겁니다. 어느 날은 제 선생님이 저를 손가락으로 가리키며 다른 어른에게 말하더군요. 저 소년이 '뇌가 고장 난 아이'야" '뇌가 고장 난 아이'였던 짐 퀵이 어떻게 브레인 코치, 학습 전문가가 될 수 있었을까요? 긴 사연이 있지만, 이야기가 길어지니 그에게 큰 변화를 일으켰던 '두 영웅'에 대해서만 이야기하고 넘어가도록 하겠습니다.

첫 번째 영웅은 사실 '영웅들'인데요, 바로 엑스맨입니다. 글을 읽을 수 없었던 짐 퀵이 볼 수 있던 유일한 책은 만화책이었습니다.

미국은 특히 마블같은 히어로물 만화를 많이 보죠. 많고 많은 히어로들 중 짐 퀵의 마음을 사로잡은 영웅은 엑스맨 이었습니다.

가장 강하고 빠르지는 않지만, 소외된 자들, 돌연변이지만 악당들 물리치는 엑스맨들의 모습이 또래로부터 소외된 짐 퀵에게는 인상 깊게 느껴졌을 것 같습니다.

저녁마다 잠을 안 자고 이불 속에 숨어 플래시 라이트 비춰가며 책을 읽었다고 해요.

어쩌다 많이, 재밌게 읽었는지 원래 글을 읽을 줄 몰랐는데 이 만화를 보며 독학했다고 합니다.

'너가 고장 난 아이'가 처음으로 글을 있게 해준 영웅이 바로 엑스맨인 셈이죠.

두 번째 영웅은 아인슈타인입니다. 글을 읽게 된 이후로도 짐 퀵은 계속된 학습 장애로 인해 고통 받았다고 합니다. 책 한 권을 제대로 읽기가 어려웠고, 다 읽어도 내용이 전혀 머리에 남지 않은 것이죠. 어떻게든 극복해 보려고 정말 미친 듯이 공부를 했다고 합니다. 잠도 안 자고, 먹지도 않고 며칠 밤을 도서관에서 보내며 읽어야 할 책, 읽고 싶은 책, 엄청 쌓아놓고 미친 듯이 읽었습니다. 그런 피나는 노력을 통해 학습 장애를 '극복!' 했다는 행복한 이야기면 좋겠지만, 그렇게 무리하다 도서관에서 졸도하고 맙니다.

졸도하면서 계단에서 굴러떨어져 다시 한 번 머리를 다쳤고, 이틀 후에 병원에서 깨어났다고 합니다.

짐 퀵이 말하는 인생의 가장 어두웠던 시절입니다.

병상에서 깨어난 그에게 간호사 한 분이 차 한 잔을 가져다줍니다. 그 머그컵에는 아인슈타인의 사진과 함께 인용구 한마디가 적혀있었다고 합니다.

"문제를 유발한 것과 똑같은 수준의 생각으로는 절대 당신의 문제를 해결할 수 없다. 이 말은 제가 스스로에게 질문을 던지게 만들었습니다. 내 문제는 무엇일까?"

이 말에 큰 감명을 받은 짐 퀵은, 단순히 '열심히 해야겠다' 수준의 생각이 아니라, 보다 근본적인, 높은 수준의 물음을 던집니다. '내 본질적인 문제가 뭘까?'에 대해 고민하기 시작합니다.

즉, 느리게 배우는 것이 자신의 문제라고 정의하고, 빠르게 배우는 방법을 찾아다니기 시작합니다.

그러나 즉, 내용을 가르쳐주는 학교, 수업은 많아도 어떻게 해야 더 빨리, 더 많이 배우는지 가르쳐주는 곳은 없었고, 그때부터 퀵은 우리의 뇌는 어떻게 배우는지,

기억의 원리는 무엇인지 탐구하기 시작합니다.
그렇게 탐구를 거듭한 끝에 현재의 짐 퀵이 있는 것입니다. 사실 중간에 많은 이야기들이 더 있지만 가장 결정적인 사건만 소개해드렸습니다.

그럼 본론으로 들어가서 '어떻게' 읽기 속도를 두 세배 빠르게 할 수 있다는 걸까요?

지금부터 소개해 드리겠습니다.
첫째 '주변시를 활용하라'입니다.
짐 퀵이 말하는 주변 시란, 한눈에 보이는 문자나 단어의 범위를 뜻합니다.
즉, 내가 집중하고 있는 한 단어가 아닌, 그 단어 주변으로 보이는 여러 단어를 뜻하죠.
그 단어들을 한 번에 읽어내라고 짐 퀵은 말합니다.
우리는 보통 한 번에 한 단어에 집중해서 읽으라고 교육을 받아왔습니다.
그런데, 그건 처음 읽기를 배울 때, 즉 어휘를 많이 모를 때나 필요한 방법입니다.
이미 많은 어휘를 알고 특정 어휘와 주로 같이 사용되는 단어들이 어떤 것인지 않은 상황에서는 한 단어에만 집중하는 것은 오히려 우리의 독서 속도를 늦추는 역할을 합니다.

짐 퀵은 그의 저서에서 'report card' 라는 표현을 예시로 듭니다. '성적표'란 뜻이죠. 우리 뇌는 report card를 '성적표'라는 한 의미 단위로 처리합니다.

그런데 책을 읽을 때 한 단어에 집중하면, 'report' 'card' 이렇게 두 단어로 읽은 다음에 다시 아, 'report card' 이렇게 하나의 뜻으로 합치는 불필요한 과정을 거치면서 읽는 속도가 느려진다는 겁니다.

기억력이 정말 좋은 사람들이 정보의 부분 부분을 따로 외우는 게 아니라, 사진 찍듯이 이미지로 외운다는 말을 들어보셨을 겁니다. 같은 원리입니다.

특정 어휘는 주로 같이 쓰이는 단어들이 있습니다.
이 조합을 영어로 collocation이라고 합니다.
한국어 예시로 들면, 종가집 00하면 종가집 김치가 생각나고, 가재는 00하면 가재는 게 편이라는 말이 생각나듯, 굳이 꼼꼼하게 있지 않아도 바로 떠오르는 표현들은 한 단어 한 단어 천천히 읽을 필요가 없죠. 정말 한 단어 한 단어 모르는 어휘라 이해가 어려울 때는 어쩔 수 없지만, 그렇지 않을 때는, 이렇게 주변 시를 활용해 한 번에 여러 단어, 문장 단위로 보다 큰 의미 단위를 한 번에 이해하는 연습을 해보시기 바랍니다.
한 번에 문장 하나씩 눈으로 사진을 찍는다 생각하고 연습해 보시길 바랍니다. 굳이 단어 하나하나를 곱씹지 않아도 충분히 글에서 말하고자 하는 바를 이해하실 수 있습니다.

둘째, '속 발음'을 없애라입니다.
책을 읽을 때, 속으로 책을 소리 내어 읽기듯이 따라가 며 읽으시진 않나요?
이게 바로 '속 발음'입니다. 이건 사실 어릴 적 교육의 결과입니다.
어릴 때 유치원이나 초등학교에서 책을 혼자서 발표하 듯이 낭독하거나, 돌아가면서 한 줄씩 있는 교육 많이 하잖아요?
어릴 때는 학생들 주의 집중력이 오래가지 않으니 이 방법이 효과적이겠지만, 이 이후에 읽기 교육을 받은 적 이 없으니 지금은 필요 없는 옛날 습관을 여전히 반복 하고 있는 거죠. 그런데 앞서 말했듯이 우리가 있는 대 부분의 단어는 우리가 아는 단어들입니다.
그런 단어들을 굳이 내적 소리를 내어가며 읽을 필요가 있을까요? 아니요. 그냥 눈으로 보면 되는 겁니다.
우리 뇌의 처리능력은 우리 생각보다 엄청납니다.
소리 내지 않아도, 한 글자씩 온 주의집중을 쏟지 않아 도 충분히 읽고 있는 내용을 이해할 수 있습니다.
이 속 발음을 없애기 위해서 짐 퀵이 제안하는 방식은 ' 숫자 세며 읽기'입니다. 눈으로는 책을 읽으면서 입으로는 '하나', '둘', '셋' 소리를 내라는 건데요.

소리를 내는 상황에서 속 발음 까지 하는 것은 정말 어려워서, 자연스레 속 발음이 없어진다고 합니다. 한 번 해보시길 추천 드립니다.

물론 처음에는 약간 혼란스럽지만 익숙해지면 점점 이해력이 향상된다고 짐 퀵은 말합니다.

이렇게 숫자를 꼭 하지 않더라도. 속으로 글자를 읽고 있다는 생각이 들 때 '이 속 발음이 독서 속도를 늦추고 있다.'라는 것을 지각하기만 해도 독서 속도가 빨라지는 것을 체감하실 수 있으실 겁니다.

마지막으로, 손가락으로 짚어가며 읽기입니다. 우리가 빨리 읽지 못하는 이유 중 하나는 '안구 회귀' 즉 읽다가 시선이 돌아가 특정 부분을 다시 읽는 현상 때문이라고 합니다.

집중이 잘 안될 때 책 읽으면 읽은 부분 읽고 또 읽고 또 읽고 또 읽고 그런 경험 다들 많으시죠?

어느 정도의 안구 회귀는 거의 모든 사람이 하기 마련인데, 대부분 무의식적으로 이루어진다고 해요.

손가락으로 짚어가면서 읽으면, 손가락의 위치에 집중하기 때문에 무의식적으로 읽은 부분을 또 읽는 회귀 현상을 예방해 읽는 속도가 빨라진다고 합니다.

짐 퀵 이 책에서 소개하는 연구에 따르면, 손가락을 사용하면 읽는 속도가 최고 25%에서 최대 100%까지 빨라진다고 합니다.

실제 제가 실천에 봤는데, 전 이제 손가락 혹은 펜 등을 지퍼 가면 읽지 않으면 답답해서 책을 못 읽겠다는 생각이 들 정도로 큰 속도 향상을 경험했습니다.

무엇보다 집중도 잘 되고요. 그만큼 실천하기도 쉽고, 효과도 직방인 방법이라 할 수 있습니다.

"그럼 여기서 잠깐, 빨리 있는 게 좋은 건가?" 하시는 분들이 계실 수 있습니다.

우리는 보통 천천히 씹어가며 책을 읽어야 배우는 것이 많고, 속독은 이해도가 떨어지는 방법이라는 생각을 많이 하니깐요. 짐 퀵은 이를 반박합니다. 짐 퀵은 책을 통해 조용한 거리를 천천히 운전할 때와 경주로의 급커브를 전속력으로 달리는 상황에 대한 비유를 듭니다.

천천히 운전할 때는 여러 다른 일도 할 수 있죠. 음악 듣기, 노래 부르기, 대화하기 등이요.

그러나, 빠른 속도로 커브를 돌 때는 운전 외에 그 어떤 일도 신경 쓸 수 없습니다.

오로지 운전에만 몰입하게 되죠. 같은 원리로 우리의 독서도 빠르게, 오롯이 독서에 집중할 때 더욱 효과적인 독서가 일어날 수 있다고 합니다.

마무리하겠습니다. 읽어야 할 정보가 너무나도 많은 시대, 우리가 선택할 수 있는 것은 두 가지입니다.

시간을 늘리거나, 읽는 속도를 느리거나.

24시간은 한정되어 있는 만큼 시간을 늘릴 수 없으니 우리는 속도를 높여야 합니다.

속도를 높인다고 해서 이해도가 떨어지는 것이 아니라, 오히려 더 몰입감이 높아진다는 것을 기억하십시오.

주변 씨를 활용하고, 속 발음을 멈추고, 손가락으로 짚어가며 책을 읽으십시오.

당신의 독서량, 효율성, 나아가 당신의 부까지 몇 배 혹은 몇십 배 성장하는 경험을 하시게 될 것입니다.

<유튜브 북토크>

일론 머스크, 빌 게이츠, 버락 오바마, 오프라 윈프리 등이 빠르게 독서를 하기 위해 속도법을 배우고 세계 수많은 위인들, 부자들 대부분이 책을 읽고 책을 쓰는 이유가 자명하다. 신이 인간을 사랑해서 자신의 능력인 한 가지인 보물(지혜)을 책 속에 숨겨 놨다. 그래서 그 보물(지혜)을 아무나 찾지 못한다. 책을 한두 권 보면 찾을 수 있는 게 아니다.

끊임없이 책을 읽어야만 신이 숨겨놓은 보물(지혜)을 하나씩 찾을 수 있는 것이다. 책을 많이 읽는 사람이 극소수인 것처럼 성공자, 부자들이 극소수다. 책을 많이 읽는다고 성공자, 부자가 되는 건 아니다. 하지만 단언컨 대 성공자, 부자들은 책을 어마어마하게 읽는다.

사람의 생각을 바꾸는데 책 1톤이 필요하고 자신 인생 을 바꾸는 데는 자신 분야 책 1권 출간이면 가능하다. 책 1,000권 읽는 것보다 자신 분야 책 1권 책 쓰기와 책 출간이 더 가치가 있다. 책을 10권 읽고 책 쓰는 사 람, 책 100권 읽고 책 쓰는 사람, 책 1,000권 읽고 책 쓰는 사람 중에 어떤 사람 책이 내공, 값어치, 가치가 느껴질까? 누구에게 물어봐도 책 1,000권 읽고 책 쓰는 사람일 것이다. 책 쓰기의 기본 전제는 책을 많이 읽기 다. 그 다음에는 물이 99도까지는 끓지 않고 100도에서 끓듯이 지혜의 임계점인 1도를 올려주는 것이 바로 책 출간이다. 책을 한 권도 읽지 않고 책 한 권 출간이 더 좋다고 말하는 게 아니다. 남들이 책 출간 한 것을 한번 읽는 것 보다 자신이 시행착오, 대가 지불, 인고의 시간 을 거쳐 만든 책 쓰기, 책 출간이 그 만큼 평생 남으며 가치가 있다고 말하는 것이다.

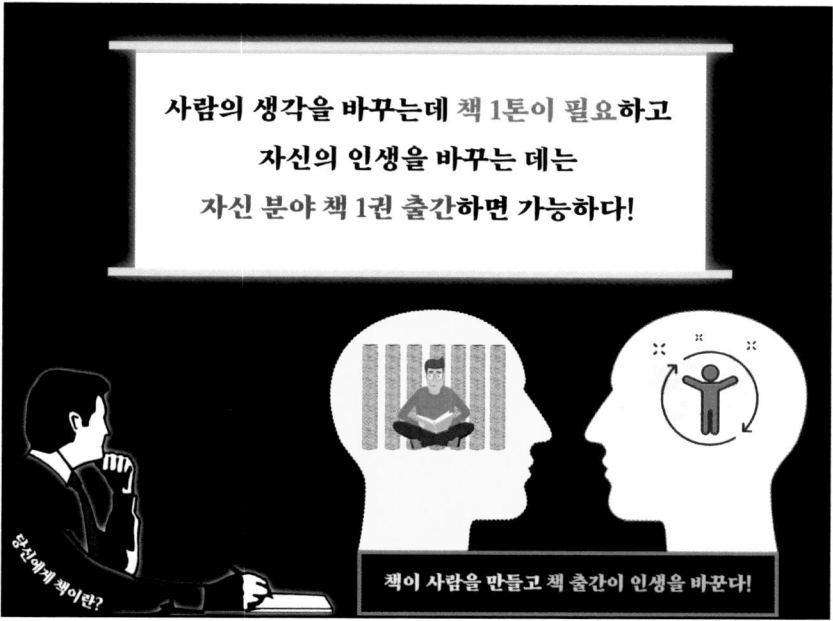

220

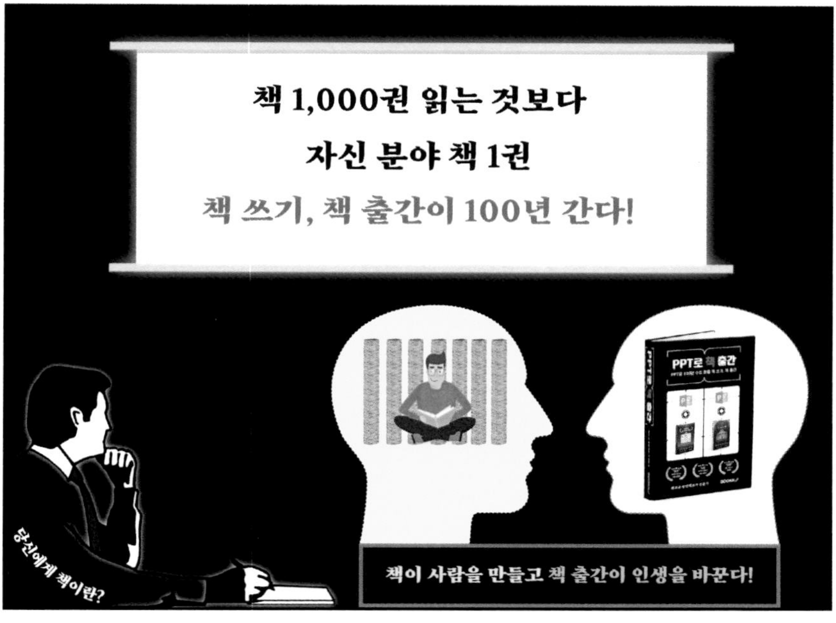

방탄책쓰기사관학교(www.방탄book.com)에서는
책 출간 최고의 장점인 절판 없는 책 쓰기, 책 출간을 한다. (절판: 발행된 책이 단종 됨, 출판사와 계약기간 만료) 출간한 책이 절판되어 재 출간하려면 처음 들어간 비용 다시 발생한다. 출판사들 90%가 절판을 한다.

방탄책쓰기사관학교(www.방탄book.com)에서는
"그래, 버킷리스트인 책 한 권 출간했어! 냄비 받침대가 되어 라면 국물이 묻어서 쓰레기가 되어도 좋아." 이런 정신으로 책 쓰기 코칭을 하지 않는다. 베스트셀러 책이 되는 것도 좋지만 자신, 가족, 조직체 원들, 소중한 사람들이 봤을 때 베스트라고 할 수 있는 책 출간 코칭을 한다.

방탄책쓰기사관학교(www.방탄book.com)에서는
자신 분야와 연결시켜 스펙도 올리고 돈을 벌 수 있는 시스템과 연결시켜 부수입을 올릴 수 있으며 부업(제2의 직업 강사, 제3의 직업 코칭, 은퇴 후 직업)으로도 할 수 있는 책 출간 코칭을 한다. 더 나아가, 많은 사람들에게 도움을 줄 수 있고 선한 영향력을 끼쳐 동기부여 해 줄 수 있는 리더 책 출간 코칭을 한다.

책 쓰기, 책 출간 교육, 코칭은 누구나 한다. 자신 분야를 연결하여 삼성(진정성, 전문성, 신뢰성), 월세, 연금성 수입을 올릴 수 있는 책 쓰기, 책 출간은 방탄책쓰기 사관학교에서만 할 수 있다.

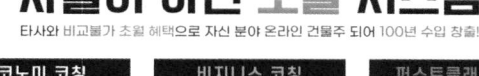
226

www.방탄book.com

누구나 줄 수 있는 혜택이라면 절대로 방탄book을 선택하지 않았을 것이다!

파트너 강사 임명

방탄자기계발사관학교 전임 강사
자기계발아마존 전임 강사
방탄book 전속 작가
방탄코칭 전문가
대한민국 노벨상인
"최보규상" 프로젝트 연구원

타이틀 5가지 자격 부여

150년 멘토

20,000명 상담, 코칭
자기계발서 100권 출간
381가지 습관 만듦
2,000권 독서

삼성(진정성, 전문성, 신뢰성)이 검증 된 전문가가 우주 최강 책임감 150년 a/s, 피드백, 관리 해준다. 자자자자멘습긍 케어까지 해준다. (자존감, 자신감, 자기관리, 자기계발, 멘탈, 습관, 긍정)

227

리더의 자신 분야 삼성(진정성, 전문성, 신뢰성)을
올려주고 인정해 주는 건 자신 전문 분야 책 출간이다!

책 1,000권 읽는 것보다.
자신 분야 책 1권 책 쓰기, 책 출간이 100년 간다!

리더 생각을 바꾸는데 책 1톤이 필요하고
리더 인생을 바꾸는 데는
자신 분야 책 1권 출간이면 가능하다!

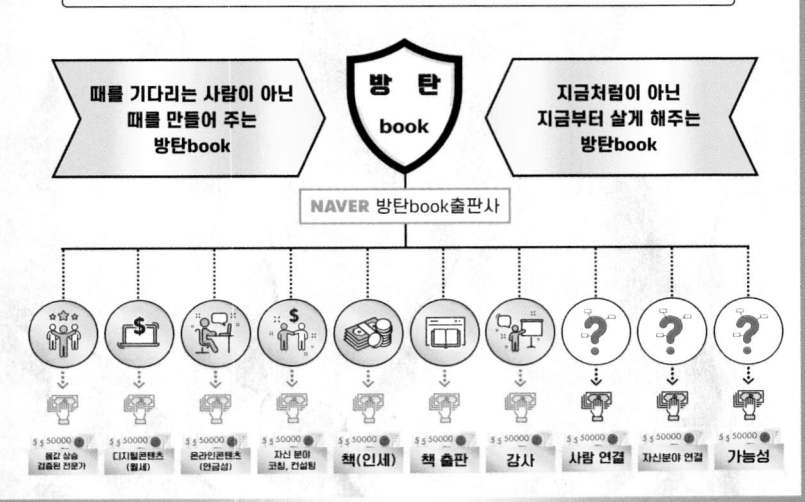

최보규의 책 쓰기 10G

✔ 일시, 시간

▶ 수시 모집 (상담)

▶ 13:00 ~ 18:00 (기본 5시간)
　 시간 조정 가능!(10H, 15H, 20H)

✔ 내용

1. 책 쓰기, 책 출간 의미 부여, 목표, 방향 설정
　 (5가지 책 출판 장단점)
2. 7G(원고, 투고, 퇴고, 탈고, 투고, 강의, 강사)
3. 온라인 콘텐츠 연결 기획, 제작
4. 디지털 콘텐츠 연결 기획, 제작
5. 자신 분야 연결 제2수입, 제3수입 창출 시스템 기획, 제작

✔ 자기계발 비용, 인원

▶ 비용 상담

▶ 1:1 코칭(온,오프라인)

✔ 장소, 상담

▶ 장소 상담 후 상황에 따라 변동 사항

▶ 한 번의 상담이 인생 터닝포인트
　 150년 A/S, 관리, 피드백
　 최보규 원장 010-6578-8295

방탄책쓰기 사관학교
시스템 사용설명서

시스템 소개

4차 산업 시대에 맞는 4차 책쓰기로 업데이트!

자신, 가족, 지인, 많은 사람들에게 읽히고 3대까지 가는 책 그냥 쓰면 안됩니다. 책 쓰는 의미 부여, 목표, 방향을 제대로 잡아 힘든 시기 제2의 수입, 제3의 수입을 올릴 수 있는 전문 분야 책쓰기로 자신 분야 삼성 (진정성, 전문성, 신뢰성)을 올려야 합니다.

1차, 2차 책 쓰기는 아무나 못 쓰는 책이었고 3차 때는 누구나 쓸 수 있는 책이었다면 4차 책 쓰기는 자신 분야 삼성을 올릴 수 있는 책 쓰기, 책 출간이 되어야 합니다. 월세, 연금성 수입이 들어올 수 있는 콘텐츠 책 쓰기가 되어야 합니다.

01 교육.강의.코칭 목적 및 기대효과

책 쓰기, 책 출간의 본질은 5가지 출판 장단점과 7G(초보, 원고, 퇴고, 탈고, 투고, 강의, 강사)를 학습, 연습, 훈련을 통해 자신 분야 삼성(진정성, 전문성, 신뢰성)을 올릴 수 있는 효과.

빠르게 변하는 시대, 힘들고 점점 더 어려워지는 환경 속에서 방탄책쓰기 사관학교에서 책 쓰기, 책 출간 교육, 코칭으로 온라인 콘텐츠까지 연결시켜 본업 외에 제2수입, 제3수입을 발생시킬 수 있는 효과

 02 교육.강의.코칭 항목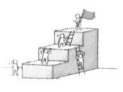

1단계: 책 쓰기, 책 출간 의미 부여, 목표, 방향 설정
　　　　(5가지 책 출판 장단점)
2단계: 7G(원고, 투고, 퇴고, 탈고, 투고, 강의, 강사)
3단계: 온라인 콘텐츠 연결 기획, 제작 (월세 수입)
4단계: 디지털 콘텐츠 연결 기획, 제작 (연금성 수입)
5단계: 자신 분야 연결 제2수입, 제3수입 창출 자동 시스템 기획, 제작

| 1 | 2 | 3 | 4 | 5 |

03 방탄책쓰기사관학교 신청 대상 세부 내용

방탄책쓰기사관학교

▶ 자기계발을 시작하고 싶은 분.

▶ 4차 책쓰기 업그레이드를 통해 자신 분야 변화, 성장하고 싶은 분

▶ 책쓰고 자신 분야 전문가 되어 강사가 되고 싶은 분

▶ 1,2,3,4,5단계 4차 책쓰기를 배워 자신 분야 삼성(진정성, 전문성, 신뢰성)을 업데이트해서 자신분야 가치, 몸 값어치를 올리고 싶은 분

▶ 방탄자기계발사관학교 지회장이 되어 9가지 사관학교를 운영, 대한민국 노벨상인 최보규상 임원진이 되고 싶은 분

---

 04 교육. 강의. 코칭 항목

🔊 교육 시간은 변동사항 있을 수 있습니다!

구분	주제	강의내용	시간
방탄책쓰기 사관학교	1단계	책 쓰기, 책 출간 의미 부여, 목표, 방향 설정 (5가지 책 출판 장단점)	1H ~ 10H
	2단계	7G(원고, 투고, 퇴고, 탈고, 투고, 강의, 강사)	1H ~ 10H
	3단계	온라인 콘텐츠 연결 기획, 제작	1H ~ 10H
	4단계	디지털 콘텐츠 연결 기획, 제작	1H ~ 10H
	5단계	자신 분야 연결 제2수입, 제3수입 창출 시스템 기획, 제작	1H ~ 10H

책 쓰고 싶나요? 책 출간 했나요?
책 0월 0일 출간 예정일 받았나요?
일단! 들어오세요~
START UP

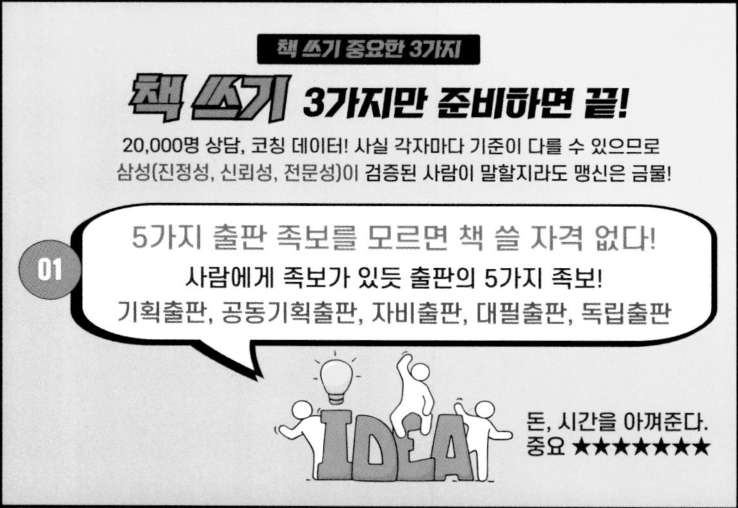
책 쓰기 중요한 3가지
책 쓰기 3가지만 준비하면 끝!
20,000명 상담, 코칭 데이터! 사실 각자마다 기준이 다를 수 있으므로
삼성(진정성, 신뢰성, 전문성)이 검증된 사람이 말할지라도 맹신은 금물!
01
5가지 출판 족보를 모르면 책 쓸 자격 없다!
사람에게 족보가 있듯 출판의 5가지 족보!
기획출판, 공동기획출판, 자비출판, 대필출판, 독립출판
IDEA
돈, 시간을 아껴준다.
중요 ★★★★★★★

책 쓰기 중요한 3가지

책 쓰기 3가지만 준비하면 끝!

20,000명 상담, 코칭 데이터! 사실 각자마다 기준이 다를 수 있으므로
삼성(진정성, 신뢰성, 전문성)이 검증된 사람이 말할지라도 맹신은 금물!

02

7G를 알아야 책 쓰기가 편하다!
초고, 원고, 퇴고, 탈고, 투고, 강의, 강사

작가 직업, 강사 직업
두 마리 토끼 잡는다.
중요 ★★★★★★★

책 쓰기 중요한 3가지

책 쓰기 3가지만 준비하면 끝!

20,000명 상담, 코칭 데이터! 사실 각자마다 기준이 다를 수 있으므로
삼성(진정성, 신뢰성, 전문성)이 검증된 사람이 말할지라도 맹신은 금물!

03

한번 코칭으로 150년 A/S, 관리, 피드백 받을 수 있는 전문가 선택!

대한민국 대부분 코칭 95%가 한번 코칭 하면 끝나고
가장 중요한 관리를 해주지 않는다. 늘 그때뿐인 교육, 코칭이 된다!

돈, 시간을 아껴준다.
중요 ★★★★★★★

책 출간 준비 3가지만 하면 끝!

20,000명 상담, 코칭 데이터! 사실 각자마다 기준이 다를 수 있으므로
삼성(진정성, 신뢰성, 전문성)이 검증된 사람이 말할지라도 맹신은 금물!

03

한번 코칭으로 150년 A/S, 관리, 피드백 받을 수 있는 전문가 선택!

대한민국 대부분 코칭 95%가 한번 코칭 하면 끝나고
가장 중요한 관리를 해주지 않는다. 늘 그때뿐인 교육, 코칭이 된다!

돈, 시간을 아껴준다.
중요 ★★★★★★★

책 출간 준비 3가지만 하면 끝!

20,000명 상담, 코칭 데이터! 사실 각자마다 기준이 다를 수 있으므로
삼성(진정성, 신뢰성, 전문성)이 검증된 사람이 말할지라도 맹신은 금물!

01

책 홍보 마케팅 전략!

책 홍보전략을 통해 꾸준히 개인 SNS 노출 할 책 내용 요약 디자인 작업
(100개 이하), 최소의 비용으로 최대 효과를 낼 수 있는 유튜브 홍보

돈, 시간을 아껴준다.
중요 ★★★★★★★

책 출간 후 중요한 3가지

  3가지만 하면 끝!

20,000명 상담, 코칭 데이터! 사실 각자마다 기준이 다를 수 있으므로
삼성(진정성, 신뢰성, 전문성)이 검증된 사람이 말할지라도 맹신은 금물!

02

책 분야 전문성 만들기!

책 전문분야 1개월 ~ 6개월 교육할 커리큘럼, 시스템을 만들어 책을 교재로
활용해서 자신 분야 삼성(진정성, 전문성, 신뢰성)을 만들고 강사료를 올리자.

작가 직업, 강사 직업
두 마리 토끼 잡는다.
중요 ★★★★★★★

책 출간 후 중요한 3가지

책 출간 준비 3가지만 하면 끝!

20,000명 상담, 코칭 데이터! 사실 각자마다 기준이 다를 수 있으므로
삼성(진정성, 신뢰성, 전문성)이 검증된 사람이 말할지라도 맹신은 금물!

03

한번 코칭으로 150년 A/S, 관리, 피드백 받을 수 있는 전문가 선택!

대한민국 대부분 코칭 95%가 한번 코칭 하면 끝나고
가장 중요한 관리를 해주지 않는다. 늘 그때뿐인 교육, 코칭이 된다!

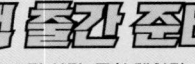 

돈, 시간을 아껴준다.
중요 ★★★★★★★

책 출간 후 가장 먼저 해야 할 3가지!

출판계의 로또 기획출판(1000~3000만 원 투자 받음) 아닌 이상 저자가 다 해야 된다.
책 스타트업은 이렇게 시작된다.

 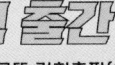

처음부터 공들여야해..
이곳 저곳 하나하나

01 책(신생아)키우기

꾸준히 관심, 사랑을
받기 위해 페이지별로
이미지 제작해서
SNS 노출

이 책은 000 입니다!
많이 사랑해주세요!

02 마케팅 하기

책 분야
강의 교안 작업 홍보
이미지 제작
홍보 영상 제작

음.. 여기서 이 정도
연결시켜 소득 지속화!

03 전문성 연결

책 분야 교육, 코칭
커리큘럼, 제안서
전문분야 자격증
만들어 몸값 올리기

스타트업 마케팅 사례

유튜브 홍보, 마케팅 전략사례 1

최소의 비용으로 최대 효과
지속적인 마케팅 사례를 알아보자!
인세 발생, 강의 의뢰, 코칭 의뢰, 전문성 홍보
일반 강사, 작가 보다 차별화 스펙 어필!

5 ~ 10가지 연결고리가 생겨 단타에 끝나지 않고
영상 삭제하기 전까지 지속적 연결된다!(100년)

01 행복히어로 (출간일 2021. 01. 17)

▶ 유튜브 업로드 한번 끝!
▶ 조회 수 : 4,280회 (꾸준히 노출)
▶ 인세 발생, 강의 의뢰, 코칭 의뢰, 전문성 홍보..
▶ 한 번의 영상 제작, 홍보로 10가지 연결고리

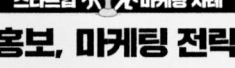
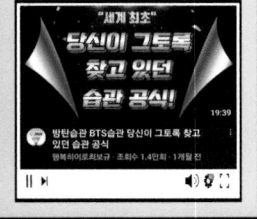

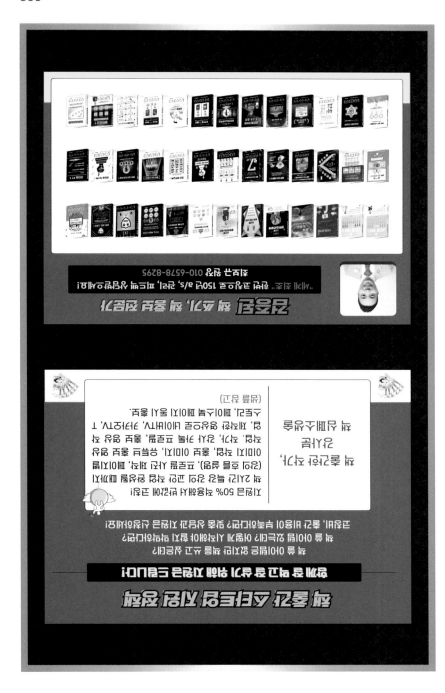

저자 특강 2시간 강의교안 제작 샘플

책 표지, 책 내용으로 맞춤 디자인 제작, 변경 가능!

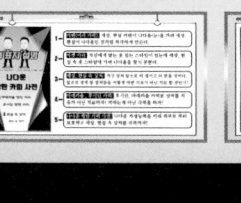

책 개인 프로필 홍보 이미지 샘플

책 표지, 책 내용으로 맞춤 디자인 제작, 변경 가능!

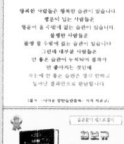

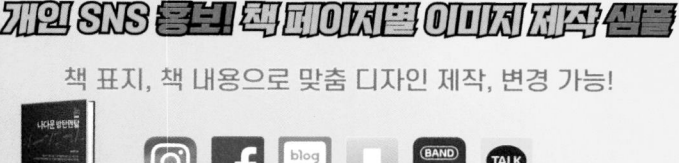

242

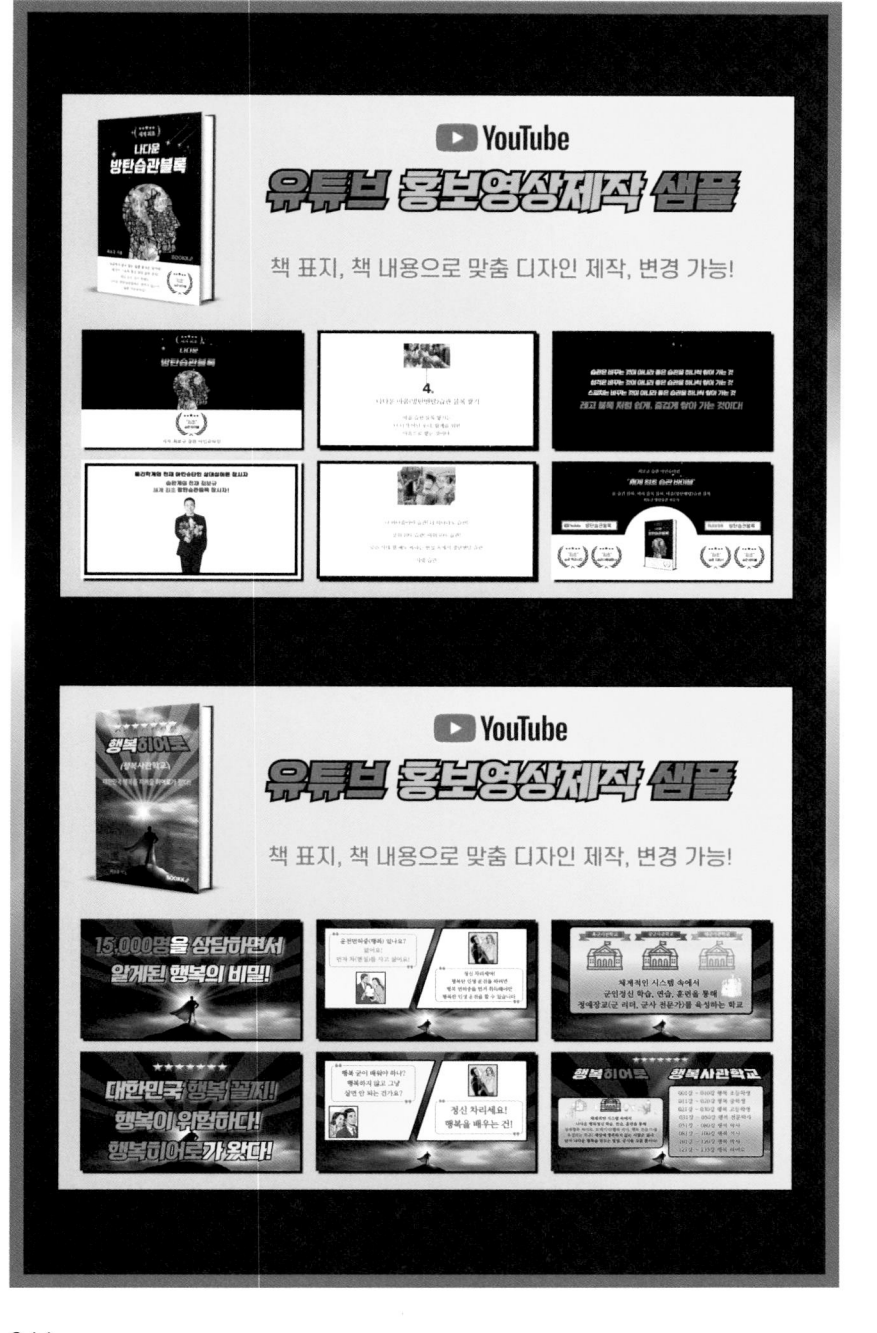

▶ YouTube
유튜브 홍보영상제작 샘플

책 표지, 책 내용으로 맞춤 디자인 제작, 변경 가능!

▶ YouTube
유튜브 홍보영상제작 샘플

책 표지, 책 내용으로 맞춤 디자인 제작, 변경 가능!

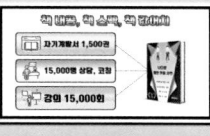

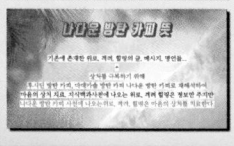

방탄책쓰기 사관학교

방탄책쓰기 자격증

★ 자격증명: 자기계발코칭전문가

★ 등록번호: 2021-005595

★ 주무부처: 교육부

★ 자격증 종류: 모바일 자격증

※ 등록하지 않은 민간자격을 운영하거나 민간자격증을 발급할 때에는 [자격기본법]에 의해 3년 이하의 징역 또는 3천만 원 이하의 벌금에 처해진다.

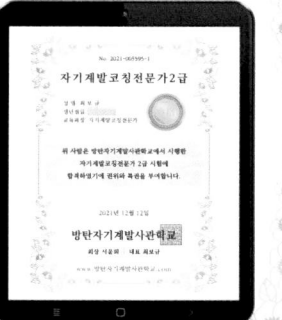

"국가등록 민간자격증"

★ 자격증명: 자기계발코칭전문가

★ 등록번호: 2021-005595

★ 주무부처: 교육부

★ 자격증 종류: 모바일 자격증

※ 등록하지 않은 민간자격을 운영하거나 민간자격증을 발급할 때에는
[자격기본법]에 의해 3년 이하의 징역 또는 3천만 원 이하의 벌금에 처해진다.

자신 책을 죽이는 강의

☑ 체크리스트

☑ 파워포인트 없이 강의를 한다.

☑ 파워포인트내용에 이미지 없이 텍스트만으로 강의한다.

☑ 시작동기부여, 아이스브레이킹, 스토리텔링기법
강의 중간 스트레칭기법, 피크앤드기법...
강의기법을 전혀 하지 않는다.

☑ 트랜드에 맞는 강의를 안 한다.

☑ 교육 담당자, 청중이 좋아하는 강의를 안 한다.

☑ 청중이 좋아하는 3D, 4D 강의가 무엇인지 모른다.

| Google 자기계발아마존 | ▶YouTube 방탄자기계발 | NAVER 방탄book기술력 | NAVER 최보규 |

자신 책을 죽이는 강의

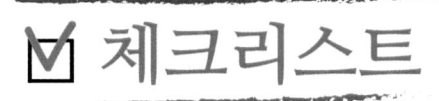 체크리스트

☑ 청중들의 강의 듣는 심리 상황을 모르고 강의한다.

☑ 강의에 퍼포먼스가 전혀 없다.

☑ 강의 끝난 후 자신 책과 연결고리가 전혀 없다.

☑ 1개월~1년 강의할 수 있는 커리큘럼, 교안이 없다.

책 그렇게 쓰면 책 다 죽어!!!
책 출간 후 그렇게 강의하면 책 다 죽어!!!
책 출간 후 그렇게 홍보 하면 책 다 죽어!!!

| Google 자기계발아마존 | ▶YouTube 방탄자기계발 | NAVER 방탄book기술력 | NAVER 최보규 |

3개 이상

해당 되시는
작가, 강사님 들은
자신 책 심폐소생술
해야 할 상태라는
것 명심하세요!

| Google 자기계발아마존 | ▶YouTube 방탄자기계발 | NAVER 방탄book기술력 | NAVER 최보규 |

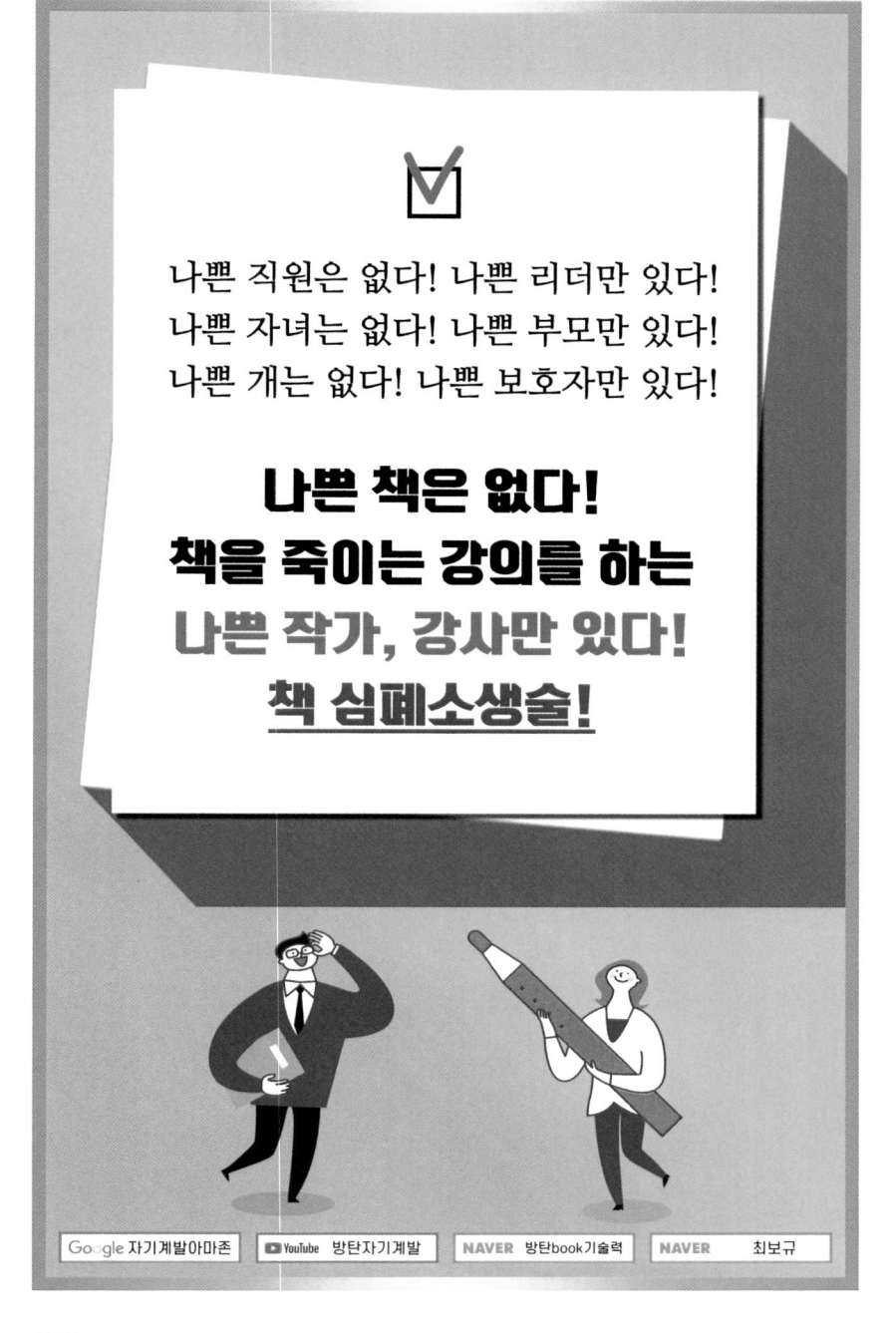

나쁜 직원은 없다! 나쁜 리더만 있다!
나쁜 자녀는 없다! 나쁜 부모만 있다!
나쁜 개는 없다! 나쁜 보호자만 있다!

나쁜 책은 없다!
책을 죽이는 강의를 하는
나쁜 작가, 강사만 있다!
책 심폐소생술!

자신 책을 살리는 강의를 하는

☑ 체크리스트

☑ 시각적인 효과! 파워포인트 원 슬라이드 원 메시지, 원사진 공식을 지킨다!

☑ 가성비강의를 한다! (즐거움+메시지+스토리텔링 +감동+실천 동기부여+실천 동기부여 도구)

☑ 강의기법 공식으로 강의한다!
인사스팟-마음을 여는 집중기법-시작 동기부여-스팟기법-스트레칭기법-메시지기법-스토리텔링기법-피크앤드기법

NAVER 방탄book기술력

| Google 자기계발아마존 | ▶YouTube 방탄자기계발 | NAVER 방탄book기술력 | NAVER 최보규 |

자신 책을 살리는 강의를 하는

☑ 체크리스트

☑ 트랜드에 맞는 강의! 교육 담당자, 청중들이 좋아
하는 강의, 강의 듣는 청중들의 심리 상태까지 공
부해서 강의를 한다.

☑ 강의 끝난 후 간접영업을 할 수 있는 연결고리를 만
든다. 유튜브, SNS, 블로그...

☑ 책 내용을 전부 강의 교안으로 만들어 1개월 ~ 1년
을 할 수 있는 커리큘럼 제안서로 단타 강의가 아닌
장기적인 강의를 할 수 있도록 준비를 해논다.

 NAVER 방탄book기술력

| Google 자기계발아마존 | ▶YouTube 방탄자기계발 | NAVER 방탄book기술력 | NAVER 최보규 |

세상에
자신 책 죽이고 싶어하는
사람은 없습니다.
단지 책을 살리는
방법, 강의기법을 모를뿐이다.

NAVER 방탄book기술력

| Google 자기계발아마존 | ▶YouTube 방탄자기계발 | NAVER 방탄book기술력 | NAVER 최보규 |

検증된 코칭전문가

특허청 등록
최보규 강사책출간 코칭전문가
등록 번호: 제 40-2200794 호

특허청 등록
최보규 자기계발코칭 창시자
등록 번호: 제 40-2072344 호

특허청 등록
최보규 리더동기부여 코칭전문가
등록 번호: 제 40-2128786 호

※ 상표 및 상호를 무단 도용할 경우
[특허법]에 의해 1억 원 이하의 벌금, 7년 이하의 형사처분을 받을 수 있습니다.

책150권 출간 　 상담 17,000회 　 코칭 13,000회 　 강의 경력 6,200회

Google 자기계발아마존 　 ▶ YouTube 방탄자기계발 　 NAVER 방탄자기계발사관학교 　 NAVER 　 최보규

N 최보규

네이버 인물정보 등록 34만 명! (2016년 기준)
대한민국 1% 미만 "네이버 명예의 전당" 인물정보 등록!

전체 　 프로필 　 최근활동 　 도서

프로필 →

소속 　 방탄자기계발사관학교/방탄북
(BOOK)출판사(대표)

수상 　 2016년 제1회 세계를 빛낸 천
사상 대상

경력 　 방탄자기계발사관학교/방탄북
(BOOK)출판사 대표
방탄자기계발사관학교 대표
2012.05~2016.06 사랑의전화 전화상담 자원
봉사자
2014.11 행복사관학교 대표

사이트 　 유튜브, 블로그, 네이버TV, 페이스북, 공식홈페
이지

작품 ★ 도서 108건, 관련활동

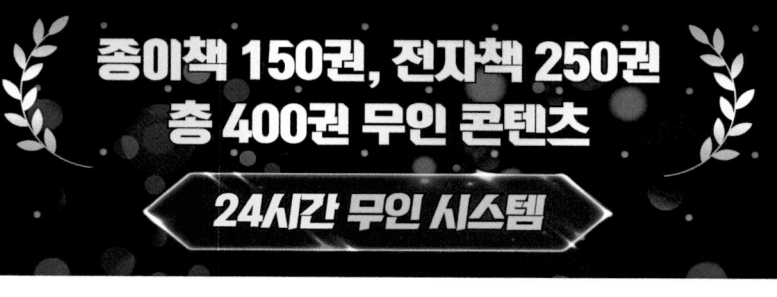

종이책 150권, 전자책 250권 총 400권 무인 콘텐츠

24시간 무인 시스템

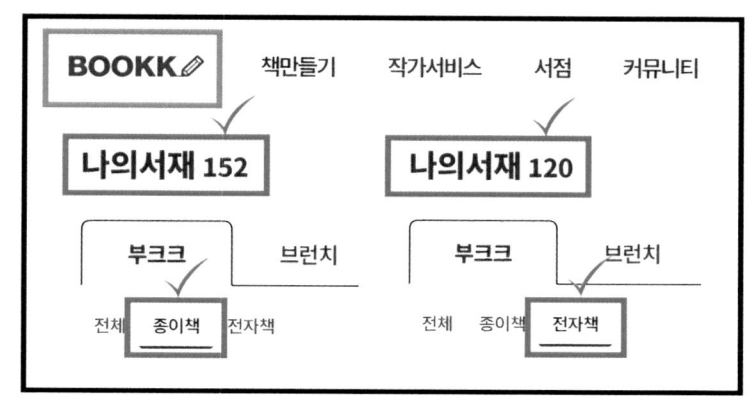

BOOKK ✏️   책만들기   작가서비스   서점   커뮤니티

나의서재 152   나의서재 120

부크크 | 브런치   부크크 | 브런치

전체 종이책 전자책   전체 종이책 전자책

유페이퍼 [최보규] 검색어 콘텐츠 159

이번 생에 건물주는 힘들어도
온라인 건물주는 가능하다!
400층 온라인 건물주를 가능하게 만든 시스템!

방탄book기술력

검증된 전문가 교육시스템

회원제를 통한 맞춤 학습, 연습, 훈련
오프라인 전문상담사가 검진 후 특별맞춤 학습, 연습, 훈련

검증된 강사코칭 전문가

세계 최초 강사 백과사전
강사 사용설명서를 만든 전문가!
150년 A/S, 관리,해주는 책임감!

검증된 책 쓰기 전문가 100권

행복히어로
나다운 강사 1, 2
나다운 방탄멘탈
나다운 방탄습관블록
나다운 방탄 카피 사전
나다운 방탄자존감 명언 I , II
방탄자기계발 사관학교
자기계발코칭전문가 1,2,3,4,5,6
나다운 방탄리더십 1,2,3,4,5
외 100권

검증된 자기계발 전문가

방탄행복 창시자!
방탄멘탈 창시자!
방탄습관 창시자!
방탄자존감 창시자!
방탄자기계발 창시자!
방탄강사 창시자!
방탄리더십 창시자!

검증된 상담 전문가

20,000명 심리 상담, 코칭!
독학하기 힘든 자자자자멘슬금
(자존감, 자신감, 자기관리, 자기계
발, 멘탈, 습관, 긍정)
1:1 케어까지 해주며 행복 주치의가
되어주는 전문가!

★ ★ ★ ★ ★

강력추천

이런 사람들 반드시 상담, 코칭 받으세요!

현재 상황에 가장 필요한 것을 상담 후 가장 효율적인 시스템을 적용합니다.

변화, 성장, 배움, 행동 동기부여, 셀프케어	자신분야 전문성 (진정성, 전문성, 신뢰성)	자신분야 자동 시스템(돈) 연결
1	**2**	**3**
지금처럼이 아니라 지금부터 다시 시작하고 때를 기다리는 사람이 아닌 때를 만들고 싶은 분	경력은 스펙이 아니다! 자신 분야 차별화로 부케릭터를(부업)만들어 자신 몸값을 올리고 싶은 분	움직이지 않아도 자동으로 돌아가는 돈 버는 시스템을 만들고 싶은 분

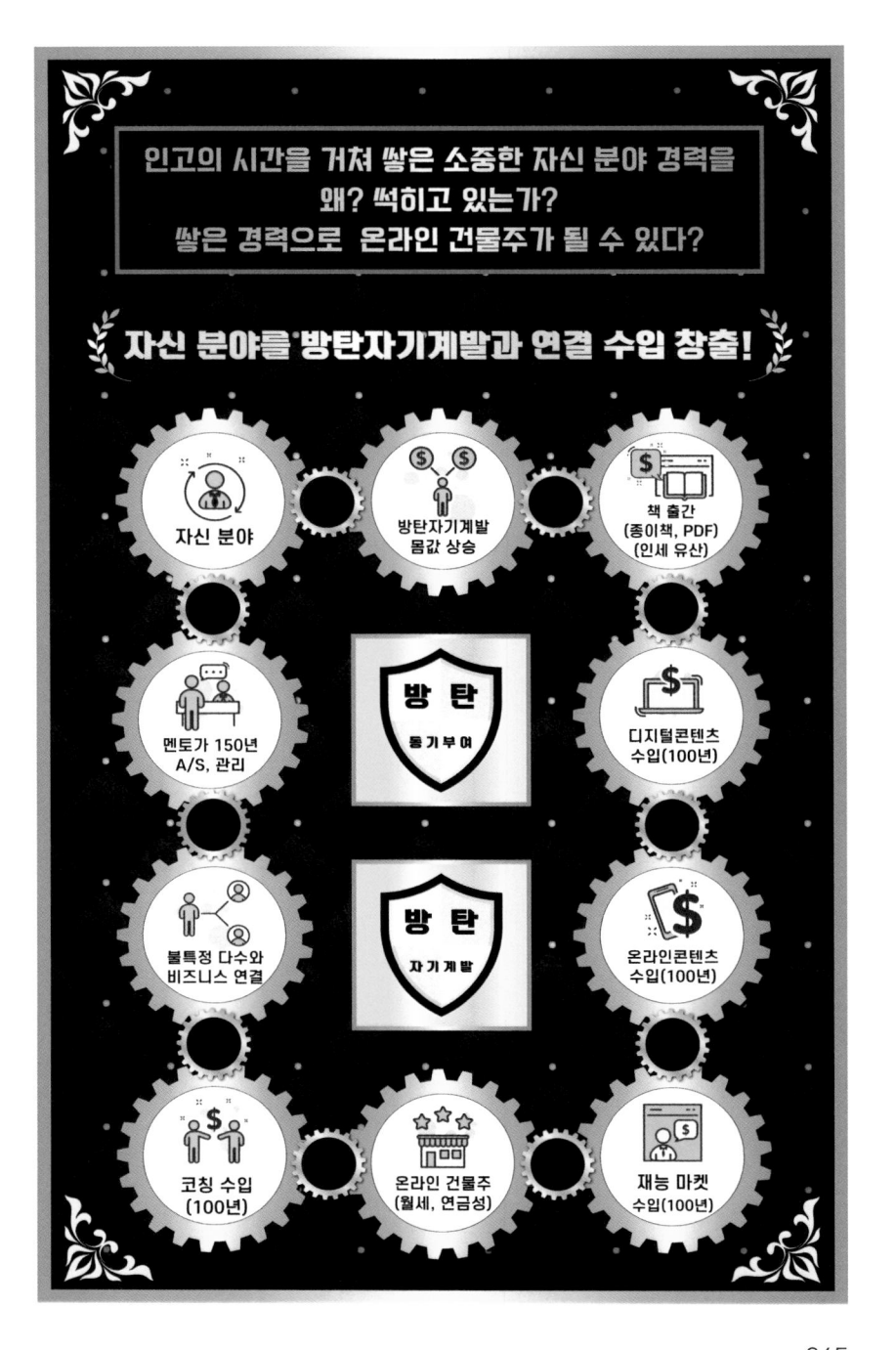

80%는 **교육으로 만들어진다?** 300% 틀렸습니다!

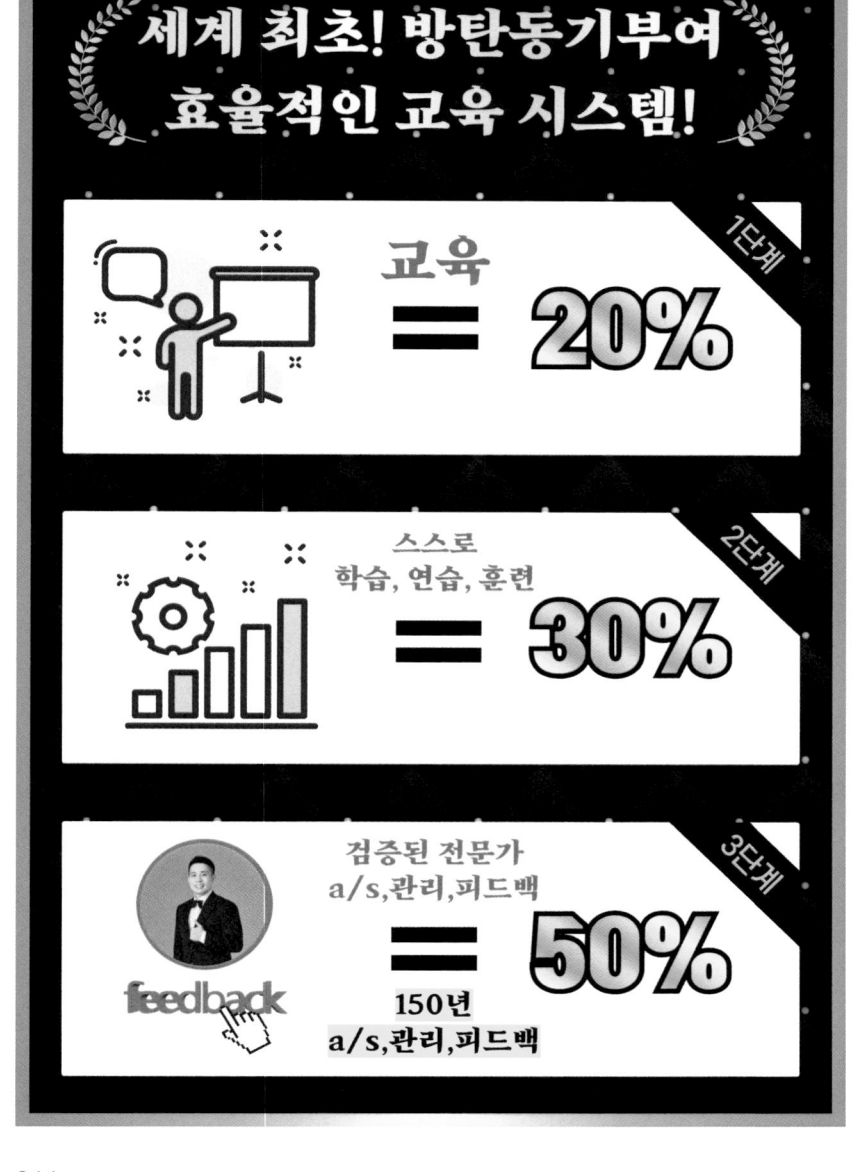

세계 최초! 방탄동기부여
효율적인 교육 시스템!

1단계
교육 = **20%**

2단계
스스로
학습, 연습, 훈련 = **30%**

3단계
검증된 전문가
a/s,관리,피드백 = **50%**

feedback
150년
a/s,관리,피드백

평균적으로 학습자들은 교육만 받으면 80% 효과를 보고 동기부여가 되어 행동으로 나올 것이라고 착각합니다.

그러다 보니 교육받는 동안 생각만큼, 돈을 지불한 만큼 자신 기준의 미치지 못하면 효과를 보지 못할 거라고 지레짐작으로 스스로가 한계를 만들어 버립니다. 그래서 행동으로 옮기지 못하는 것이 상황, 교육자가 아닌 자기 자신이라는 것을 모릅니다.

20,000명 심리 상담, 코칭, 리더 자기계발서 100권 출간, 리더 습관 320가지 만듦, 시행착오, 대가 지불, 인고의 시간을 통해 가장 효율적이며 효과적인 교육 시스템은 2:3:5라는 것을 알게 되었습니다.

교육 듣는 것은 20%밖에 되지 않습니다. 교육을 듣고 스스로가 생활 속에서 배웠던 것을 토대로 30% 학습, 연습, 훈련해야 합니다.
학습, 연습, 훈련한 것을 가장 중요한 50%인 검증된 전문가에게 꾸준히 a/s, 관리, 피드백을 받아야만 2:3:5공식 효과를 볼 수 있습니다.

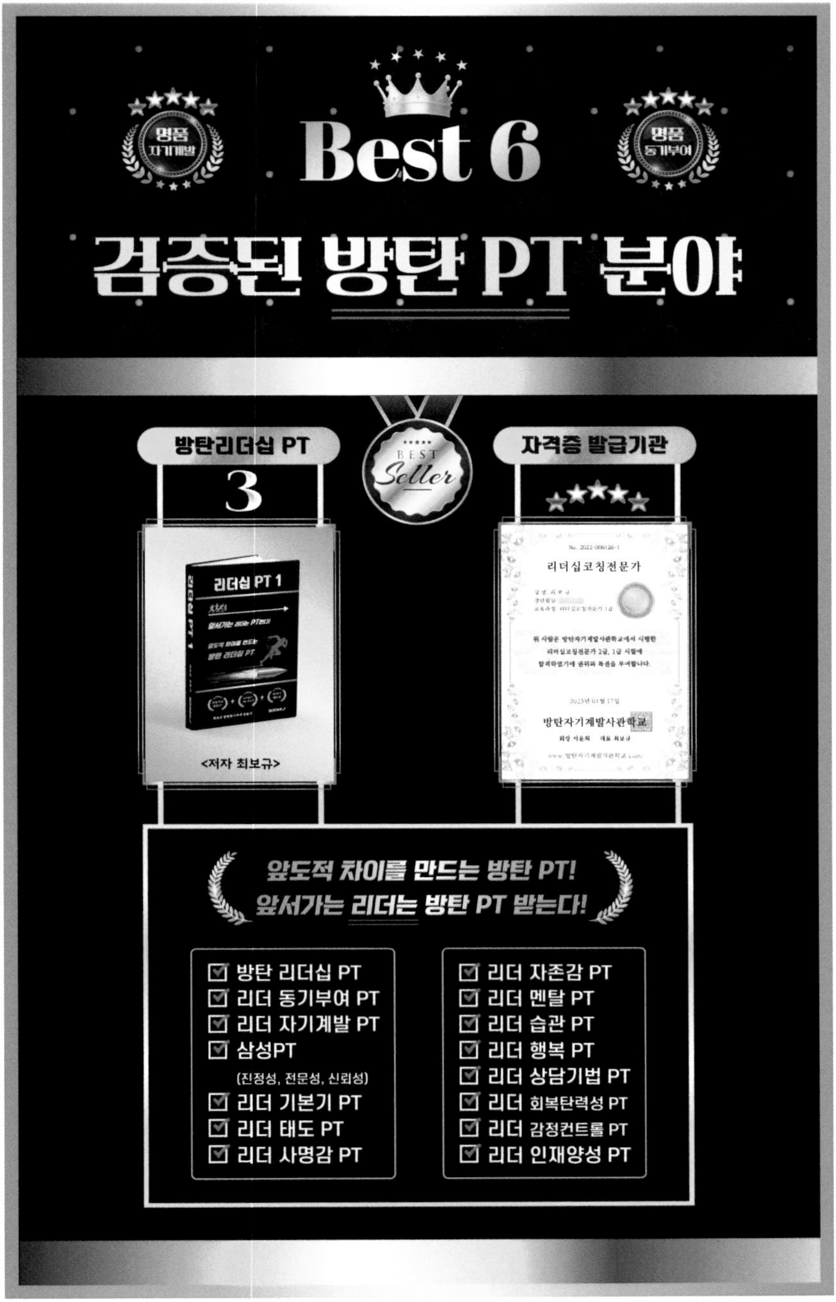

Best 6

검증된 방탄 PT 분야

방탄리더십 PT

3

리더십 PT 1

<저자 최보규>

자격증 발급기관

리더십코칭전문가

위 사람은 방탄자기계발사관학교에서 시행한
리더십코칭전문가 2급, 1급 시험에
합격하였기에 권리와 혜택을 부여합니다.

2023년 01월 17일

방탄자기계발사관학교

앞도적 차이를 만드는 방탄 PT!
앞서가는 리더는 방탄 PT 받는다!

- ☑ 방탄 리더십 PT
- ☑ 리더 동기부여 PT
- ☑ 리더 자기계발 PT
- ☑ 삼성PT
  (진정성, 전문성, 신뢰성)
- ☑ 리더 기본기 PT
- ☑ 리더 태도 PT
- ☑ 리더 사명감 PT

- ☑ 리더 자존감 PT
- ☑ 리더 멘탈 PT
- ☑ 리더 습관 PT
- ☑ 리더 행복 PT
- ☑ 리더 상담기법 PT
- ☑ 리더 회복탄력성 PT
- ☑ 리더 감정컨트롤 PT
- ☑ 리더 인재양성 PT

Best 6

검증된 방탄 PT 분야

자기계발 방탄 PT

4

<저자 최보규>

자격증 발급기관

앞도적 차이를 만드는 방탄 PT!
앞서가는 리더는 방탄 PT 받는다!

- ☑ 7대 자기계발 PT
- ☑ 방탄 기본기 PT
- ☑ 방탄 태도 PT
- ☑ 방탄 사명감 PT
- ☑ 방탄 자존감 PT
- ☑ 방탄 자신감 PT
- ☑ 방탄 자기관리 PT
- ☑ 방탄 자기계발 PT

- ☑ 방탄 멘탈 PT
- ☑ 방탄 습관 PT
- ☑ 방탄 긍정 PT
- ☑ 방탄 인간관계 PT
- ☑ 방탄 행복 PT
- ☑ 방탄 스피치 PT
- ☑ 방탄 love PT
- ☑ 방탄 Smile PT

Best 6

검증된 방탄 PT 분야

책 쓰기, 출간 방탄 PT

6

BEST Seller

<저자 최보규>

자격증 발급기관

No. 2025-703712-1

책쓰기코칭전문가

성명: 최보규
생년월일:
교육과정: 책쓰기코칭전문가2급

위 사람은 방탄자기계발사관학교에서 시행한
책쓰기코칭전문가 2급, 1급 시험에
합격하였기에 본 자격증 수여합니다.

2023년 07월 17일

방탄자기계발사관학교
최고 서윤의 대표 최보규

www.방탄자기계발사관학교.com

🏆 앞도적 차이를 만드는 방탄 PT! 🏆
앞서가는 리더는 방탄 PT 받는다!

☑ 작가 7대 의무교육 PT	☑ 온라인 건물주 책 출간 PT
☑ 책 쓰기 동기부여 PT	☑ 작가 품위유지의무 PT
☑ 책 출간 동기부여 PT	☑ 강사 되기 위한 책 출간 PT
☑ 책 쓰기 10G PT	☑ 강의 교안으로 책 출간 PT
☑ 리더 책 쓰기 PT	☑ 출간한 책으로 교안 작업 PT
☑ 강사 책 쓰기 PT	☑ 출간한 책으로 영상제작 PT
☑ 일반인 책 쓰기 PT	☑ 100년 지속 할 수 있는 기술
☑ 6가지 수입 창출 PT	력을 배우는 책 쓰기, 출간

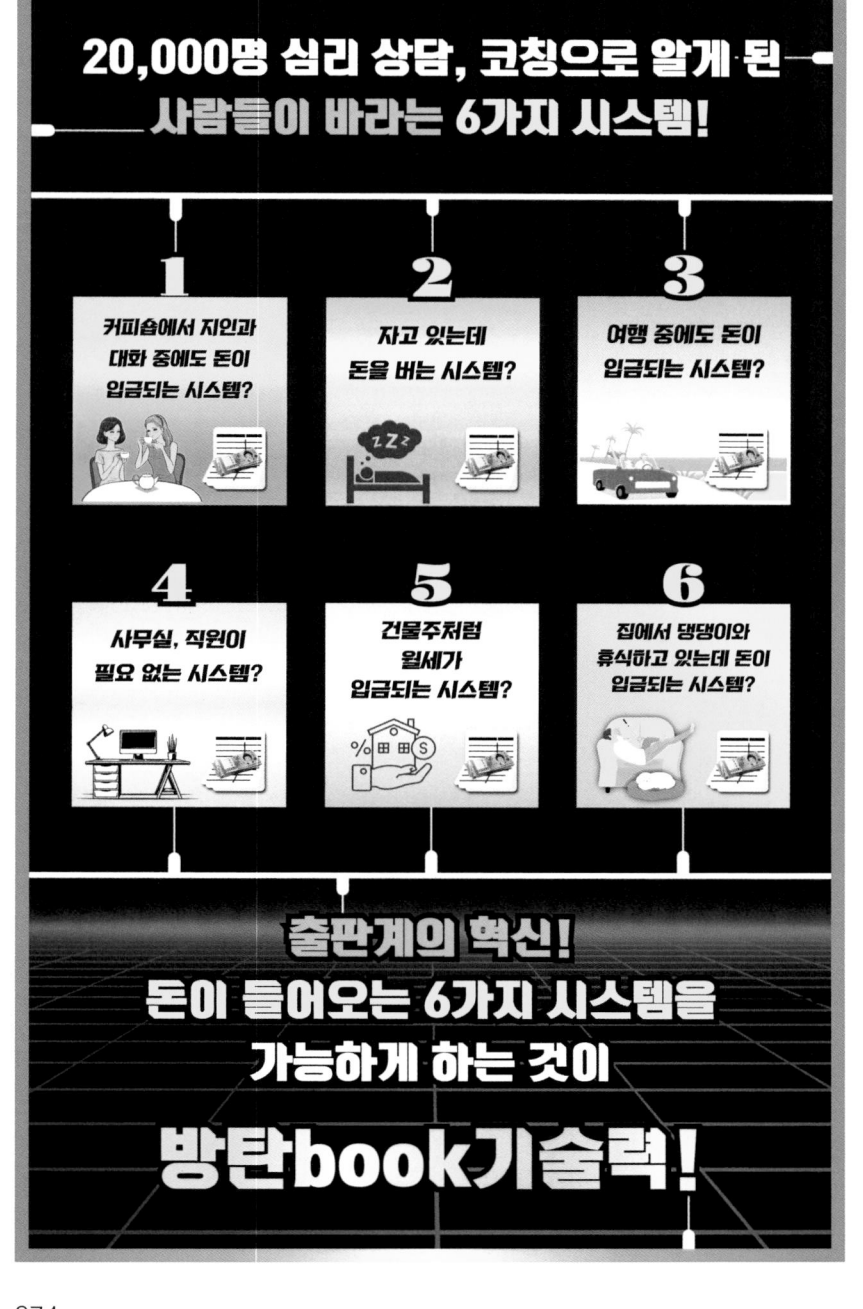

**평균 희망 은퇴 73세, 현실 은퇴 나이 49세!
100세 시대 언제까지 몸(노동)으로만
일해서 돈을 벌 것인가?**

세상, 현실 기준에서 스펙, 돈, 인맥, 자산 등이 없어서 100세까지 노동을 해야 되고 몸까지 아프면 더 답이 없는 상황! 젊을 때는 100가지 중 99가지를 할 수 있지만 나이 들면 100가지 중 99가지를 할 수 없다. 3고 시대, AI 시대, 챗GPT 시대에 자신의 직업이 사라 질 수 있는 상황에서 어떻게 준비, 대비할 것인가?

 **방탄BOOK기술력
선택이 아닌 필수!**

ONLY ONE
방탄
BOOK
기술력

한 분야 전문성으로 힘든 시대다. 이제는 포트폴리오 커리어 시대다. (포트폴리오 커리어: 한 분야 전문성 외 다수에 전문성이 있는 사람) 자신 경력을 왜 썩히고 있는가! 자신 경력을 활용해서 6가지 수입을 발생시킬 수 있는 방탄book기술력! 언제까지 몸(노동)으로 일할 것인가? 자신 경력이 일하게 하자! 자신 콘텐츠가 일하게 하자! 시스템이 일하게 하자!

직장은 자신 인생을 책임져 주지 않지만
방탄book기술력은 자신 인생을 책임져 준다.
직장은 자신을 배신하지만
방탄book기술력은 자신을 배신하지 않는다.

ONLY ONE

방탄
BOOK
기술력

카페에서 냅킨에 그린 그림이 1억?

카페에 피카소가 앉아 있었습니다. 한 손님이 다가와 종이 냅킨 위에 그림을 그려 달라고 부탁했습니다. 피카소는 상냥하게 고개를 끄덕이곤 빠르게 스케치를 끝냈습니다. 냅킨을 건네며 1억 원을 요구했습니다.

손님이 깜짝 놀라며 말했습니다. 어떻게 그런 거액을 요구할 수 있나요? 그림을 그리는 데 1분밖에 걸리지 않았잖아요. 이에 피카소가 답했습니다.

아니요. 40년이 걸렸습니다. 냅킨의 그림에는 피카소가 40여 년 동안 쌓아온 노력, 고통, 열정, 명성이 담겨 있었습니다. 피카소는 자신이 평생을 바쳐서 해온 일의 가치를 스스로 낮게 평가하지 않았습니다.

《확신》

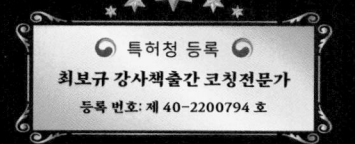

★★★★★ **차별이 아닌 초월 시스템** ★★★★★

타사와 비교불가 초월 혜택!
자신 분야 온라인 건물주가 되어 100년 수입 창출!

| Google 자기계발아마존 | ▶YouTube 방탄자기계발 | NAVER 방탄book기술력 | NAVER 최보규 |

이코노미 PT

기본 5H : 500,000원

CHECK POINT

- ☑ 기본 1회(1일=5H)
- ☑ 6가지 수입 창출 시스템 매뉴얼 설명
- ☑ 150년 A/S

명품
자기계발

명품
동기부여

★★★★★ 차별이 아닌 초월 혜택 ★★★★★

 Google 자기계발아마존    YouTube 방탄자기계발   NAVER 방탄book기술력   NAVER   최보규

이코노미 PT

기본 5H : 500,000원

- ☑ 150년 A/S (세계 최초)
- ☑ 마스터한 분야 자격증 1종 취득
- ☑ 방탄자기계발사관학교 강사 위촉
- ☑ 방탄자기계발사관학교 마스터 위촉
- ☑ 비지니스 PT 10% 할인
  (10만원 상당)
- ☑ 퍼스트클래스 PT 10% 할인
  (30만원 상당)
- ☑ 마스터한 분야 실전 2시간 강의
  교안 제공. (강사료 200만원 상당)

특허청 등록
최보규 강사책출간 코칭전문가
등록 번호: 제 40-2200794 호

★★★★★ 차별이 아닌 초월 시스템 ★★★★★

타사와 비교불가 초월 혜택!
자신 분야 온라인 건물주가 되어 100년 수입 창출!

| Google 자기계발아마존 | ▶YouTube 방탄자기계발 | NAVER 방탄book기술력 | NAVER 최보규 |

비지니스 PT

기본10H : 1,000,000원

CHECK POINT

☑ 기본 1회(2~3일=10H)
☑ 6가지 수입 창출 시스템 실전 훈련
☑ 150년 A/S, 피드백

★★★★★ 차별이 아닌 초월 혜택 ★★★★★

Google 자기계발아마존   ▶YouTube 방탄자기계발   NAVER 방탄book기술력   NAVER   최보규

비지니스 PT

기본 10H : 1,000,000원

☑ 150년 A/S, 피드백

☑ 마스터한 분야 자격증 1종 취득

☑ 방탄자기계발사관학교 전임 강사 위촉

☑ 방탄자기계발사관학교 전임 마스터 위촉

☑ 퍼스트클래스 PT 10% 할인
　(30만원 상당)

☑ 강사 맞춤 트레이닝 비대면 1회 제공
　(50만원 상당)

☑ 마스터한 분야 실전 2시간 강의 교안
　제공, 1:1 맞춤 교안 설명
　(강사료 200만원 / 1:1 맞춤 100만원 상당)

🏅 특허청 등록 🏅
최보규 강사책출간 코칭전문가
등록 번호: 제 40-2200794 호

★★★★★ **차별이 아닌 초월 시스템** ★★★★★

타사와 비교불가 초월 혜택!
자신 분야 온라인 건물주가 되어 100년 수입 창출!

| Google 자기계발아마존 | ▶YouTube 방탄자기계발 | NAVER 방탄book기술력 | NAVER 최보규 |

퍼스트클래스 *PT*

기본 15H : 3,000,000원~

CHECK POINT

☑ 기본 1회(15H) / (2회 ~ 5회 선택 사항)
☑ 6가지 수입 창출 *자동 시스템 구축*
☑ 150년 A/S, 피드백, VIP맞춤 관리

282

특허청 등록
최보규 강사책출간 코칭전문가
등록 번호: 제 40-2200794 호

★★★★★ **차별이 아닌 초월 혜택** ★★★★★

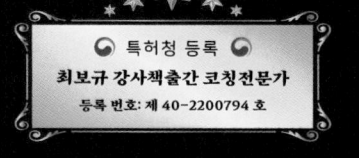

Google 자기계발아마존	YouTube 방탄자기계발	NAVER 방탄book기술력	NAVER 최보규

퍼스트클래스 PT

기본 15H : 3,000,000원~

- ☑ 150년 A/S, 피드백, VIP맞춤 관리
- ☑ 자격증 3종 취득 (150만원 상당)
- ☑ 방탄자기계발사관학교 지회장 위촉
- ☑ 종이책, 전자책 출간 후 네이버 인물 등록
- ☑ 20H, 30H, 40H, 50H PT 20% 할인
- ☑ 강사 맞춤 트레이닝 대면 1회 제공
  (50만원 상당)
- ☑ 프로필 유튜브 홍보 영상 제작
  (100만원 상당)
- ☑ <u>마스터한 분야 풀 패키지</u> (교안 제공,
  1:1 맞춤 교안 설명, 청강 1회 제공)
  (강사료 200만원 / 1:1 맞춤 100만원 /
  청강 1회 200만원 상당)

★★★★★ 차별이 아닌 초월 시스템 ★★★★★

타사와 비교불가 초월 혜택!
자신 분야 온라인 건물주가 되어 100년 수입 창출!

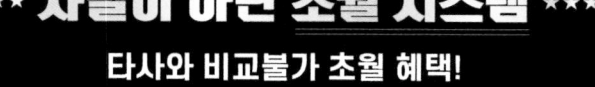

Google 자기계발아마존 | ▶YouTube 방탄자기계발 | NAVER 방탄book기술력 | NAVER 최보규

방탄book기술력 전문가 과정 속성 PT

방 탄
book 기술력
전문가

기본 30H : 5,000,000원~

CHECK POINT

☑ 기본 1회(5H) / (5회 ~ 10회 선택 사항)
☑ 6가지 수입 창출 **자동 시스템 구축**
☑ 150년 A/S, 피드백, VIP맞춤 관리

★★★★★ 차별이 아닌 초월 시스템 ★★★★★

타사와 비교불가 초월 혜택!
자신 분야 온라인 건물주가 되어 100년 수입 창출!

Google 자기계발아마존 | ▶YouTube 방탄자기계발 | NAVER 방탄book기술력 | NAVER 최보규

방탄book기술력 전문가 과정 6개월 PT

방 탄
book 기술력
전문가

기본 30H : 10,000,000원~

CHECK POINT

- ☑ 기본 1회(5H) / (5회 ~ 10회 선택 사항)
- ☑ 6가지 수입 창출 **자동 시스템 구축**
- ☑ 150년 A/S, 피드백, VIP맞춤 관리

특허청 등록
최보규 강사책출간 코칭전문가
등록 번호: 제 40-2200794 호

★★★★★ 차별이 아닌 초월 혜택 ★★★★★

Google 자기계발아마존   YouTube 방탄자기계발   NAVER 방탄book기술력   NAVER   최보규

방탄book기술력 전문가 과정 6개월 PT

기본 30H : 10,000,000원~

- ☑ 150년 A/S, 피드백, VIP맞춤 관리
- ☑ 자격증 5종 취득 (250만원 상당)
- ☑ 방탄자기계발사관학교 지회장 위촉
- ☑ 종이책, 전자책 출간 후 네이버 인물 등록
- ☑ 20H, 30H, 40H, 50H PT 20% 할인
- ☑ 강사 맞춤 트레이닝 대면 3회 제공 (150만원 상당) / 프로필 유튜브 홍보 영상 제작 (100만원 상당)
- ☑ 방탄book기술력 코칭 전문가 MOU
- ☑ 마스터한 분야 풀 패키지 (교안 제공, 1:1 맞춤 교안 설명, 청강 1회 제공) (강사료 200만원 / 1:1 맞춤 100만원 / 청강 1회 200만원 상당)

CLASS	내용
class 1	자신 분야 연결 6가지 수입 창출 기술력 컨설팅
class 2	자신 분야 삼성(진정성, 전문성, 신뢰성) 향상 책 쓰기, 책 출간 기술력 PT
class 3	자신 전문 분야로 제2수입 창출 기술력 PT
class 4	자신 전문 분야로 제3수입 창출 기술력 PT
class 5	온라인, 디지털 콘텐츠 기획, 제작 기술력 PT (4,5,6 수입 / 100년 지속적인 수입 창출 PT)

◆ 참고문헌, 출처

《PPT로 책 출간 1》 최보규, 서윤희, 부크크, 2024
《왓칭》 김상운, 정신세계사, 2011
〈유튜브 북토크〉

세계 최초! 출판계의 혁신!
최보규의 책 쓰기 10G 1

발 행 | 2024년 06월 07일
저 자 | 최보규, 서윤희
편 집 | 최보규, 서윤희
디자인 | 최보규, 서윤희
마케팅 | 최보규
펴낸이 | 한건희
펴낸곳 | 주식회사 부크크
출판사등록 | 2014.07.15.(제2014-16호)
주 소 | 서울특별시 금천구 가산디지털1로 119 SK트윈타워 A동 305호
전 화 | 1670-8316
이메일 | info@bookk.co.kr

ISBN | 979-11-410-8757-9